東北大学教養教育院叢書
大学と教養 3

人文学の要諦

東北大学教養教育院＝編

東北大学出版会

Artes Liberales et Universitas

3 The Essence of Humanities

Institute of Liberal Arts and Sciences Tohoku University

Tohoku University Press, Sendai

ISBN978-4-86163-344-7

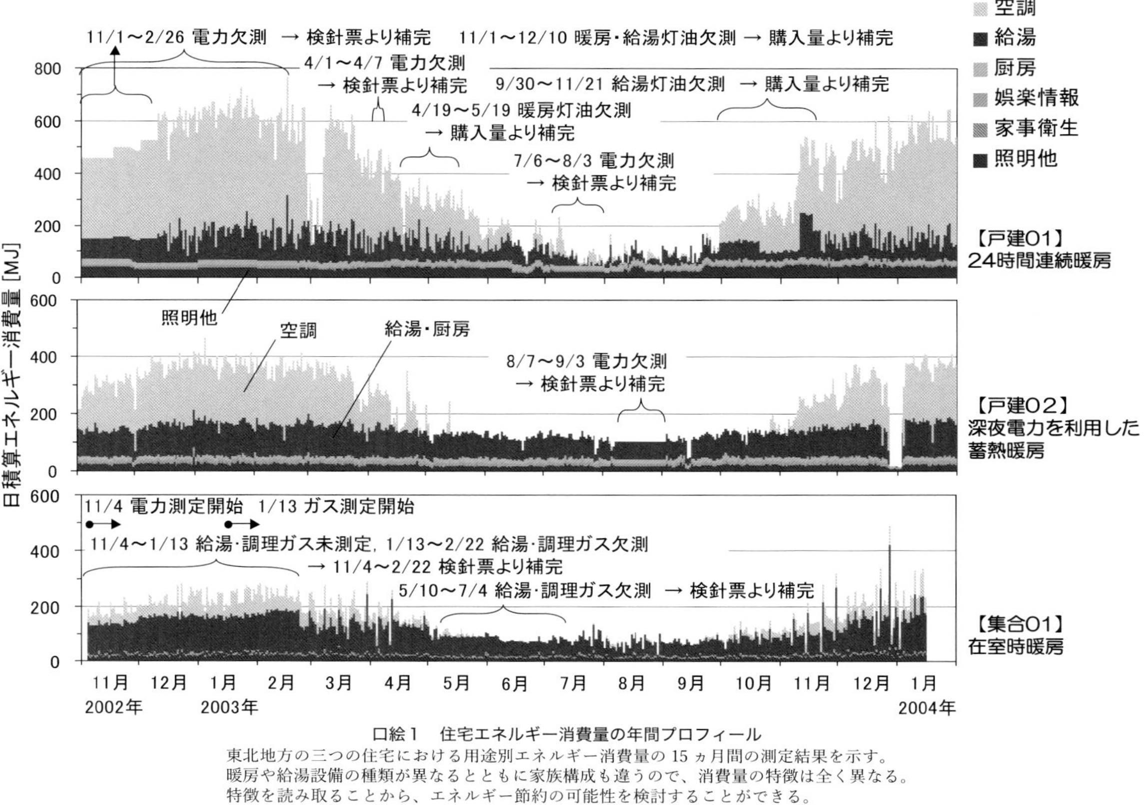

口絵1　住宅エネルギー消費量の年間プロフィール

東北地方の三つの住宅における用途別エネルギー消費量の 15 ヵ月間の測定結果を示す。暖房や給湯設備の種類が異なるとともに家族構成も違うので、消費量の特徴は全く異なる。特徴を読み取ることから、エネルギー節約の可能性を検討することができる。

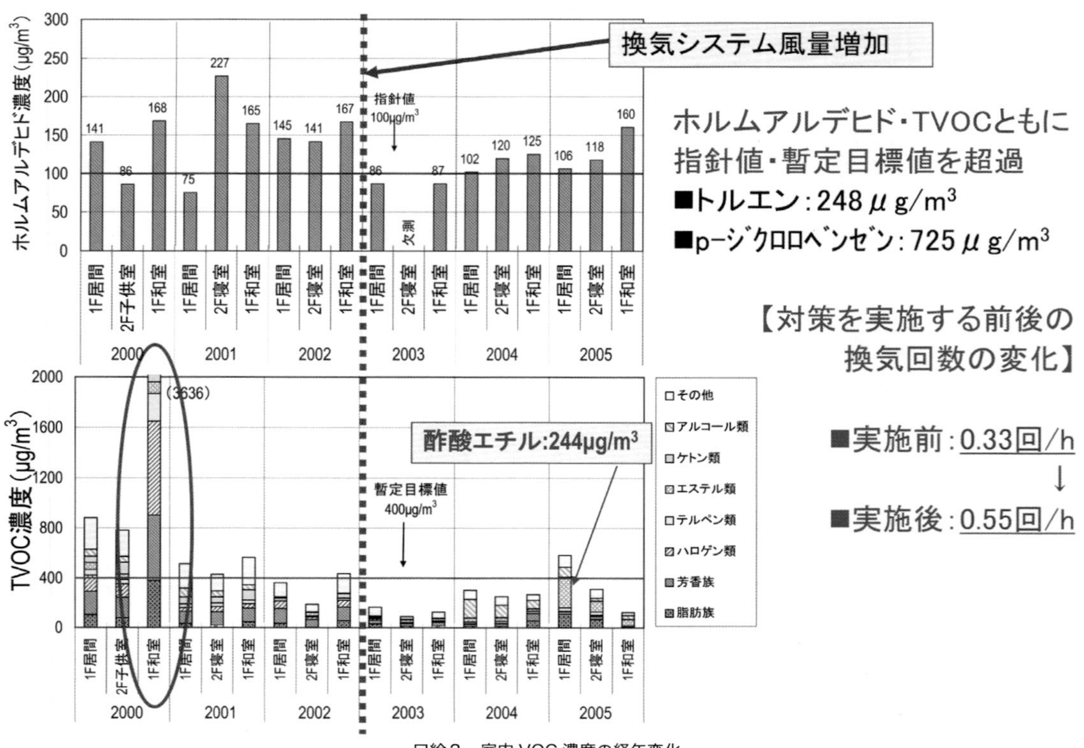

口絵２　室内 VOC 濃度の経年変化

ある住宅における６年間にわたる化学物質の測定結果である。2002 年と 2003 年の測定の間に、換気量を増加させたところ、ホルムアルデヒド濃度、TVOC 濃度（各種 VOC の合計）が減少していることが分かる。長期にわたる測定は例がない。

はじめに
人文学と教養教育

東北大学教養教育院に所属する総長特命教授らの編纂により、「大学と教養」を主題とした教養教育院叢書シリーズが刊行したのは2018年3月である。第1巻のテーマは「教養と学問」であり、教養教育の歴史や教育改革、諸学問と教養の関係が論じられた。第2巻は「震災からの問い」として、東日本大震災を通じて浮かび上がった論点をもとに、教養や教養教育のあり方についての論考がまとめられている。多様な学術研究分野で優れた業績を上げてこられた総長特命教授の面々が、「教養」について様々な角度から切り込んでいく様子は、学生のみならず、多くの読者に刺激を与えたことであろう。

教養教育とは何か、については「人格の陶冶」という言葉が古くから用いられている。「陶冶」とは本来、陶器や鋳物ができる過程のことであり、転じて教養が人格を形成するというような意味で用いられる。実は、私自身は工学分野の研究者であり、セラミックス材料科学が専門である。新素材・新材料の探索が研究テーマではあるが、そのプロセスの根幹は、一昔前の言葉では窯業工学と呼んでいた、まさに陶磁器製造の工程（陶冶）である。陶磁器の製造工程は、原料を精製し、結合剤を加えて混錬、成形し、窯に入れて高温で焼成する、というものである。原料は粘土や鉱物などの自然の産物であるから、1粒1粒の粒子にはサイズや形の分布があり、成形や焼成の過程でも粒子の充填具合や焼結状態にバラつきが生じる。その結果、1つとして同じ焼き物は得られない。同じ時に、同じ原料から、同じ手法で製造したところで、出来た陶器の色艶や質感はそれぞれ異なるし、万一、落としてしまった際の割れ方も同じものはない。

この「1つとして同じものはない」ことが名陶と呼ばれる逸品を生む要

因なのだ。陶磁器形成の過程で起きている諸現象は個々の製品に内在する事象であって、作り手の意思の及ばぬことが多いのである。それでも世の中には名陶を生み出す産地はあるし、至高の芸術品を創作する陶工もいるのである。芸術と極限の技術が交差した時に名陶が生まれるのであろう。「人格の陶冶」とはよく言ったもので、教育による人間形成も同じことなのかもしれない。

さて、「大学と教養」シリーズ第3巻となる本書のテーマは「人文学の要諦」である。「はじめに」を書くにあたって、そもそも人文学とは何か、を考えてはみたものの、工学分野で生きてきた私にとって、人文学の何たるかを表現する術がない。人文学は社会科学、自然科学とともに学術を形成する大きな領域であって、大学における教養教育もこれらを一通り学ぶのが一般的である。東北大学の教育においても、学びの出発点として人間論、社会論、自然論からなる基幹科目が設定され、その先には人文科学、社会科学、自然科学、総合科学で構成される展開科目がある。これらの学びを経た上で（あるいは並行しながら)、それぞれの専門とする学士課程教育へと接続するのである。

人間の所作や思考と社会の成り立ち、自然のあり様・諸法則は全て密接に繋がって人類社会を構成しているのであるから、人文学、社会科学、自然科学の3本の道は決して交わらない平行線ではない。イノベーションを先導したアップル社のスティーブ・ジョブズは、「リベラルアーツとテクノロジーの交差点にイノベーションが生まれる」という言葉を好んだそうである。リベラルアーツとテクノロジー、この2つの道は必ず交わり、その交差点に立つと新しい社会への道標が見えてくる。そうだとしたら、どれか1つの道であっても、その道をひたすら歩いていけば、いつの日か交差点に辿り着き、未来社会への進路を見渡すことになる。その時に見える景色は個々の内面にどのような変化をもたらすだろうか。

我が国の中等・高等教育は、既に100年も前から文系と理系に分かれた教育体系となっており、中等教育の段階から既に、それぞれの道が交差することも知らずに、選んだ1本の道を歩き始めることになる。文理融合や学際領域への挑戦が叫ばれる一方で、早期の進路選択を強いられ、今では高等学校入学後の間もない時期に文系、理系を決めなければならない状況である。この様な環境の中、大学教育においては、あらためて人文学、社会科学、自然科学の道が幾度も交差し、合流し、そしてまた分岐する道もあることを示していかなければならない。大学入学後の最初の学びに人間論、社会論、自然論が登場するのも必然ではあるが、ある程度、自分の進む道を歩いたところで、交差する道があることを再確認する必要がある。大学院課程にも続く高度教養教育の展開が期待される所以である。

本書では、教養教育院に在籍する総長特命教授とそのOBが、それぞれの「人文学」論を展開する。いずれも学術研究の諸分野で名を成した碩学であるが、決して全員が人文学者であるわけではなく、社会科学者や数学者、生命科学者、建築学者、工学者もいる。彼らが語る人文学とはなんだろうか。それは人文学の道のりではなく、人文学との交差点で出会った景色や、合流した道のその先の話なのだと思う。そこから人文学のなんたるかが見えてくることを期待している。

社会は今、大きな変革期にある。我が国ではソサエティ5.0が提唱されているが、まもなく到来する社会では、人間の在り様が大きく問われることになる。本書の中でも人工知能（AI）を取り上げた論考が登場するが、学問そのものの意義や未来社会における人間の生き方まで、これまでの数次にわたる産業革命以上に大転換することだろう。大変革の時代を生き抜き、社会を先導するリーダーを育成する上でも、教養教育が一層大切になってくる。未来社会への道標は必ず交差点にあるはずだ。人文学の要諦もそこにある。

東北大学教養教育院
院長　滝澤博胤

目　次

はじめに　人文学と教養教育　滝澤　博胤　i

序章　人文知と科学知のはざま　野家　啓一
第一節　アインシュタイン vs. モーツァルト …… 1
第二節　人文学の原点 …… 4
第三節　パスカル的調停 …… 7
第四節　「二つの文化」論争 …… 11
おわりに　「役に立つ」とはどのようなことか？ …… 14

第一部

第一章　人の生き様（よう）と自然の理解
——文化と科学——　沢田　康次
はじめに　東日本大震災と福島原発事故が考えさせたこと …… 21
第一節　人の「生き様」 …… 22
第二節　地域文化；その例としての東北人の生き様 …… 30
第三節　自然の理解 …… 36
第四節　科学技術と市場経済が主導する社会における我々の選択 …… 46
第五節　未来社会のあり方を考える次世代の人材は？ …… 54
おわりに …… 63

第二章　現代社会の変貌　宮岡　礼子
はじめに …… 67
第一節　多様性と社会 …… 67
第二節　中国と民主主義 …… 68
第三節　移民と差別、日本の現状 …… 72

第四節　インターネット社会とAI …………………………… 75
第五節　教育の現状と大学の役割 …………………………… 82
おわりに ……………………………………………………… 91

第三章　AIと教養教育　山口　隆美

人文学の要諦とAI ………………………………………… 95
はじめに ……………………………………………………… 96
第一節　AIの技術的概要 …………………………………… 99
第二節　AIの社会的意味 ……………………………………109
第三節　AIと教育 ……………………………………………117
まとめに代えて　AIがもたらす未来を克服するには ………121

第四章　技術と環境
――建築の現場から――　吉野　博

概説
第一節　建築学と建築環境工学 ………………………………127
第二節　環境に関わる現代的課題 ……………………………130
第三節　建築環境工学と関連する学問分野 …………………134
各論
はじめに ………………………………………………………135
第一節　住宅のエネルギー消費問題 …………………………135
第二節　室内空気環境と健康 …………………………………144
第三節　室内温熱環境と健康性・快適性 ……………………150
おわりに ………………………………………………………156

第二部

第五章 「哲学する」ということ

――「未在の自己」への問いかけ　座小田 豊

はじめに …… 165
第一節 哲学とは「アルケー」の探究である？ …… 167
第二節 「哲学を学ぶことはできない」とは？ …… 170
第三節 「未在の自己」への問い …… 173
第四節 「私」と「私」の間にあるもの …… 177
おわりに 哲学は「死の練習」か？ …… 181

第六章 ある数学屋からみた人文系学問

高木 泉

はじめに …… 187
第一節 「学問」とは …… 188
第二節 「大学」の様相の変遷 …… 191
第三節 なぜ自由学芸に数学が含まれているか …… 199
第四節 何のための学問か …… 202
第五節 産業化科学時代の基礎科学 …… 205

第七章 不可視の世界へ対峙する

――人文学の存在意義――　鈴木 岩弓

はじめに ――私の体験談から―― …… 211
第一節 体験談の背後にあるもの …… 213
第二節 死後霊魂の存在 …… 216
第三節 現代社会における死後霊魂 …… 219
第四節 死後霊魂を研究する意義 …… 225
おわりに …… 226

あとがき
私たちは、どこから来て、どこへ行くのか？　座小田　豊　231

執筆者略歴 …… 237

序章　人文知と科学知のはざま

野家　啓一

天文を観て以て時の変を察し、
人文を観て以て天下を化成す　『易経』

第一節　アインシュタイン vs. モーツァルト

「アインシュタインとモーツァルトはどちらが偉いか？」これは2002年にニュートリノ研究でノーベル物理学賞を受賞した小柴昌俊先生が提起した問いである[1]。もちろん「偉い」が社会的地位を意味するのならば、平社員よりも社長が、教授よりも学長が偉いのは社会的通念であり、異を唱えるには当たらない。だが、比べる対象がアインシュタインとモーツァルトとなれば、一方は天才物理学者で他方は天才音楽家、科学と芸術と活躍した分野も違えば時代も大きく異なる。無理にでも何らかの尺度を導入しなければ比較できないことは理の当然である。

そこで小柴先生が考え出したのが「替わりがいるかどうか」という尺度であった。アインシュタインは1905年に「特殊相対性理論」「ブラウン運動」「光電効果」といういずれか一つでもノーベル賞に値する論文を立て続けに発表した（実際にノーベル賞の対象になったのは光電効果である）。むろん、この時点でこれらの業績を発表することは、ひとりアインシュタインのみがなしえたことであろう。しかし、小柴先生によれば、十年以内にならば、誰かほかの物理学者が特殊相対性理論を発見した可能性は大いにありうる、というのである。実際、ローレンツの電子論は、数式表現上は、ほとんど特殊相対性理論と同じレベルにまで達していた。また、1916年にエルンスト・マッハが没した折、アインシュタインは『物理学雑誌』に追悼文を寄せ、「マッハがまだ若く感受性に富んでいた時期に、光速度不変性の意義をめぐって物理学者たちの間で問題がすでに持ち上がっていたならば、マッハが相対性理論に考え及んだということは、ありえないことではない」[2]と述べている。もちろん、追悼文という儀礼的措辞を割り引いて考えねばならないが、19世紀末から20世紀初頭にかけて、物理学界全体がマイケルソン＝モーレーの実験などを通じてニュートン力学の限界に気づき、そこからの突破口を求めていたことは事実である。それゆえ、アインシュタインには「替わり」がいるという小柴先生の発言は、あくまで正しい。

それに対して、モーツァルトの死に際して、ベートーベンが「彼がまだ若く感受性に富んでいた時期に、ナポレオンと出会っていたならば、彼が『英雄』を作曲していたということは、ありえないことではない」などと言うことはまったく考えられない。モーツァルトがいなかったならば、交響曲40番もオペラ「ドン・ジョバンニ」も作曲されなかっただろうし、誰かが代わりに作曲するなどということは、およそありえないことなのである。それゆえ、モーツァルトに「替わり」はいない。替わりがいるのといないのとでは、いない方が偉い、これが小柴先生の結論であった。むろん、小柴先生が熱烈なモーツァルト・ファンであるという付帯情報もここには付け加えておかねばならないのだが、この尺度が巧まずして科学と芸術の違いを明らかにしていることも確かである。

数学を含む自然科学は合理的推論の積み重ねによって成立する知的活動であり、その知識は一般法則の形で定式化され、累積される。しかも、公表された結果は追実験によって再現可能でなければならない。すなわち「科学知」の特徴は、第一に万人が納得しうる「合理的推論」、第二に獲得された知識の「累積的性格」、そして第三に実験結果の「再現可能性」にある。これらのいずれかを欠いても科学的知識とは呼べないのである。

もちろん、科学者の天才的な閃きによって理論が飛躍的に進展することは大いにありうる。むろん、その閃き自体を再現することはできない。だが、閃きによって得られた結果は、追実験によって再現可能である。そして追実験の内容は、あくまでも公共的な手続きによって誰もが接近できるプロセスでなければならない。イタリアで行われたトリチェリの真空実験を、パリでパスカルが再現できたゆえんである。

それに対して、芸術においては、むしろ再現可能なものは価値を持たない。ダ・ヴィンチの「モナ・リザ」やゴッホの「ひまわり」が誰にでも描ける再現可能な作品であれば、その価値は無に等しいものであろう。しかも、ゴッホやピカソが登場したからといって、ダ・ヴィンチの作品の価値が下落するわけではない。したがって芸術作品の場合は、影響関係はもちろん認められるであろうが、自然科学のような形での「累積性」は認めがたい。

おそらく現代の物理学科の学生でニュートンの『プリンキピア』を紐解く者は皆無であろう。そのエッセンスは力学の教科書に要約されており、その上に立ってさらなる理論の展開が目指されているからである。実際、ニュートンが「公理または運動の法則」に掲げた「運動の変化は加えられた起動力に比例し、かつその力が働いている直線の方向にそって行われる」という「法則2」の内容は、現在では「F=mα」（力＝質量×加速度）という運動方程式によって簡略に表現されている[3]。したがって一定の条件の下でなら、そこでは「理論的進歩」について語ることができる。他方の芸術作品の場合は、画材や技法の進展を別にすれば、「進歩」を語ることはほとんど無意味であろう。ダ・ヴィンチの「モナ・リザ」よりもゴッホの「ひまわり」の方が進歩しているとは言えないし、まして『源氏物語』よりも『細雪』の方が進歩しているとは言えるはずもない。

このように考えれば、「アインシュタインとモーツァルトはどちらが偉いか」という小柴先生の問いは、無謀にも科学と芸術とを比較するカテゴリー・ミステイクの最たるものに思われてもやむをえない。だが、両者の中間項に「人文学」を置いてみると、様子はいささか違って見えてくる。自然科学と人文学（humanities）の優劣なら比べられそうに思えるからである。とはいえ、自然科学が学問（知）の主導権を握るのは、17世紀の科学革命以降のことに属する。西欧中世の学問が「神学」を頂点とするヒエラルキーを形作っていたことはよく知られている。マックス・ウェーバーは『職業としての学問』のなかで、「ここにシラミを解剖して、神の摂理を証明してみせよう」というオランダの博物学者ヤン・スワンメルダムの言葉を引いている。当時は「神の仕事を物理的に把握することのできる精密な自然科学によってこそ、世界のうちに神の意図の痕跡を発見することができると期待した」[4]のである。ニュートンですら、その例外ではなかった。その意味で、中世の学問は自然科学を含めて「神学の婢」であったと言ってよい。そうした知のヒエラルキーに反旗を翻した学問こそ、ルネサンス期の人文学であった。まずはその原点を確認しておこう。

第二節　人文学の原点

今日では自然科学、社会科学、人文学という学問分類はほぼ常識化しており、わが国でも前者を「理系」、後二者を「文系」と呼ぶのが一般化している。海外では STEM（Science, Technology and Medicine［理工医］）と SSH（Social Science and Humanities［人文社会］）という二分法が一般的のようである[5]。だが、こうした学問分類は、少なくとも古代ギリシアにはなかったと言ってよい。アリストテレスは『形而上学』第6巻のなかで「もし思考［知能］に関するすべてが実践的［行為的］であるか制作的［生産的］であるか理論的［観照的・研究的］であるかのいずれかであるとすれば、この自然学は理論的な学の一種であろう」[6]と述べている。すなわち「理論」「実践」「制作」の三分類である。理論と実践は一見すると現在の自然科学と社会科学の区別に対応しているようにも見えるが、アリストテレスによれば、理論には「数学と自然学と神学」[7]が含まれるのであり、しかもこれら三学問はまとめて「哲学」と呼ばれているのである。さらに「制作」には技術的生産のみならず、芸術作品の生産も含まれていることに注意すべきであろう。

哲学、歴史、文学を柱とする文系の学問が、今日英語で“humanities”と呼ばれているのは、ルネサンス期に盛んになったギリシア・ラテンの古典研究と、それを基盤とした「人間性の探究（humaniora)」を主張した人文主義（humanism）の潮流に由来する。「人文」とはもともと「天文」と対になる言葉であり、後者が天界の事象を指すのに対し、前者は人間界の事象を包括する言葉である。中国古典に「日月は天の文なり、山川は地の文なり、言語は人の文なり」(『劉子』慎言）とあるように[8]、人間界の事象は言葉によって象られている。このことは、ルネサンスの人文主義がギリシア語文献の発掘とギリシア語の習得と並行して展開していったことを考えると、甚だ興味深い。まずは人文主義の立ち位置について、林達夫が説くところに耳を傾けておこう。

「人文主義は第一に人間の精神的教養の内容または目標として人間的なるものを重要視し、次にこの人間性を豊かに浄化するものが古代の知識と古代の模倣であると確信している点において、中世における古典的研究などとは全然区別して考えられなければならぬ。古代文学を以て人間性を高調せるものであると解し、このもののうちに『人間を完成せしめる』教養の重大なる要素があるとして、その研究を奨励することは、中世の、彼岸を目差す考え方に対しては一つの離反を告げるものである。」[9]

中世の「彼岸を目差す考え方」とは、むろんキリスト教（カトリック）の教義を指す。硬直化したキリスト教の桎梏から離反して人間の自由と尊厳を回復しようとするとき、その拠り所となったのが、古典古代の文芸であり学問だったのである。これに続けて林は、人文主義者たちが古代文学を好んで Humaniores literae, disciplinae humaniores, artes humanitatis などと言い表していたと付け加えている。すなわち古代文芸への傾倒は人間の理想的原型への憧憬にほかならず、彼らはその研究こそが「人間を完成せしめる」と信じたのである。彼らがユマニスト（humaniste）と呼ばれていたゆえんである。そのあたりの事情については、フランス・ユマニスム研究の泰斗渡辺一夫の筆によって補足しておくことにしよう。

「ユマニスムという語は、ルネサンス期にはありませんでしたが、ユマニスト humaniste（ヒューマニスト）ということばは、十六世紀の後半には、明らかにフランスの作家によって用いられています。この場合のユマニストの意味は、主として『古典語・古典文学の研究（愛好）者』であり、とくに、『神学者』に対比させられていたようです。」[10]

「『もっとも人間らしい学芸』literae（disciplinae）humaniores をというのが、この新しい時代の学者たちの叫びでした。ここで問題になるのは、ユマニスム（ヒューマニズム）という語の元になる「もっとも人間らしい」humanior（→ humaniores）ということばの意味でしょう。（略）思想、制度、機械……など、人間がつくったいっさいのものが、その本来もっていた目的からはずれて、ゆがんだ用いられ方をされるようになり、その結果、人間が人間のつくったものに使われるというような事態に立ち至ったとき、『これでは困る。もっと本来の姿にたちもどらなければならない。』と要請する声が起こり、これが『人間らしい』ことを求めることになるのです。」[11]

渡辺によれば、その頃の若い研究者たちは、議論が瑣末に陥り閉塞するたびごとに、「それはキリストとなんの関係があるのか」（Quid haec ad Christum?）と問い返したという。この言い回しは、もともとローマ時代の「それはメルクゥリウス［知恵の神］となんの関係があるのか」という問いかけに由来するとのことである[12]。だとすれば人文主義の精神とは、人間中心に物事を考え、議論が本筋から離れたならば「それは人間に関する事柄となんの関係があるのか」と問い直す態度といってもよさそうである。それゆえ人文学の基盤が哲学、歴史、文学などの学問に置かれたことも故なしとしない。

しかしながら、ルネサンス期に目覚めさせられた古代ギリシアへの眼差しは、人文学の分野にとどまることはなかった。すでに「12 世紀ルネサンス」と呼ばれる一大翻訳運動を通じてアラビア地域から地中海地域に逆輸入されていたユークリッドやアルキメデスなどギリシア科学の文献に、イタリアにおいて新たな光が当てられることになったのである。『イタリア・ルネサンスの文化』の著者ヤーコプ・ブルクハルトは、その第4章を「世界と人間の発見」の記述に当て、イタリアにおける自然科学について、次のように述べている。

「だが、15世紀に入るとともに古代が力強く前面に出てきたとき、使い古しの体系にあけられた突破口は、あらゆる種類の世俗的研究に都合のよい共通の突破口となった。ただし、当然のことながら人文主義は最高の人材を自分の陣営に引き入れ、そのことによっておそらくは経験的自然学に損害を与えることにはなった。（略）それにもかかわらずイタリアは15世紀末になると、パオロ・トスカネッリ［数学者・地理学者］、ルーカ・パチョーリ［数学者］そしてレオナルド・ダ・ヴィンチによって数学と自然科学においては他に並ぶものなき、ヨーロッパ第一等の国民としての地位を確立したのであった。」[13]

人文主義の陣営が優秀な人材を囲い込んだため、自然科学の展開に損害を与えたとは何とも皮肉な話だが、やがて17世紀には後者の陣営にガリレオ・ガリレイが登場し、科学革命の扉を開くことになる。それはついには人文学の知と自然科学の知とのヒエラルキーを逆転させることへとつながっていくのである。

第三節　パスカル的調停

人文学の知と自然科学の知とが明確な対立軸を形成するのは、16世紀後半から17世紀末にかけての150年間、いわゆる「科学革命」の時期である。その幕を切って落としたのは、ガリレオの「宇宙という書物は数学の言葉で書かれている」という近代科学宣言であった。言い換えれば、宇宙の客観的真理は数学的物理学によってのみ解明可能である、ということにほかならない。近代科学は古代ギリシアから受け継いだ「数学的論証」の方法とアラビア科学から移入された「実験的実証」の手続きという二本の柱によって構成されている。自然法則を表示する微分方程式はそれらの柱によって支えられているのであり、そのパラメーターは「測定可能な物理量」に限られる。すなわち、世界の実相を記述できるのは距離（l）、時間（t）、質量（m）、速度（v）などの一次性質であり、そこからは色音味臭触などの二次性質、および喜怒哀楽などの心的述語は非本質的な要素として排除されている。その結果、数学的物理学によって描かれる宇宙は、無色無音無味無臭、しかも無視点の空漠とした世界であるほかはない。

自身優れた科学者でありながら、自然科学が描き出すこのような宇宙像に不安を感じたのは、哲学者でもあったブレーズ・パスカルである。彼は『パンセ』の中に「この無限の空間の永遠の沈黙は私を恐怖させる」[14]という断章を書き残している。パスカルにとって自然科学的世界像は、もはや何ごとも語りかけてくれない単なる物質塊の集積にすぎなかった。しかし、科学者としての彼は、それを導いた数学的論証の正しさを認めざるを得ない。他方で人文学者としてのパスカルは、この世界が色と音と光に満ち、感情と情念に彩られていることを知っている。こうして自然科学と人文学という二筋の学問の板挟みになりながら、両者を調停する道を探し求めたのが、遺稿「真空論序言」である。彼はまず「書物の権威」に依拠する人文学と「実験と推理」を基盤とする自然科学という、立脚点と方法論を異にする二種類の学問を区別するところから議論を出発させる。人文学の特徴は以下のような点にある。

「歴史とか、地理とか、法律とか、言語とか、とりわけ神学とかいうような、著者たちの書いたことを知ろうとして探求すればよいような問題、要するに、単純な事実か、聖俗の制度かをその原理としているようなことがらにおいては、それらについて知りうることはすべて書物に含まれているので、それらの書物に助けを求めることがどうしても必要である。したがって、それによって完全な理解を得ることができ、それに何ものも加えることができないことは明らかである。」[15]

歴史や地理、とりわけ神学といった人文学の領域では、最終的な拠り所は「書物」すなわち文献的証拠であり、われわれはそれに新たな知識を加える（ajouter）ことはできない。それをすれば書物の捏造ないしは改竄である。他方で「感覚と推理」に依拠する自然科学においては、書物の権威は何の役にも立たない。頼りになるのは、たえず新たなデータを提供する「実験」のみである。それゆえ、パスカルは自然科学の特徴を次のように描き出す。

「同様なことは、感覚や推理のもとにある問題については言われない。そこでは権威は無用である。それらは理性によってのみ知られるべきものである。権威と理性とはそれぞれ違った権利を持っている。前の場合には権威がだんぜん有利であり、後の場合には理性が代わって支配する。（略）このように、幾何学、算術、音楽、自然学、医学、建築学など、実験と推理のもとにあるすべての学問は、完全になるためには増し加えられなければならない。（略）その知識をわれわれに与える実験はたえず増加する。そして実験は自然学の唯一の原理であるから、帰結もそれにともなって増加する。」[16]

ここで強調されているのは、科学的知識の「累積性」である。そのことは「増し加える（augmenter）」や「増加する（multiplier）」という言葉が繰り返されていることからも窺うことができる。注目すべきは、知識の増加の源泉をパスカルが「実験」のなかに見出していることである。当時のデカルト学派においては、真の科学的方法は数学的演繹であり、実験はその補助手段にすぎなかった。だが、パスカルは実験こそが「自然学の唯一の原理」であることを見抜くことによって、古典古代の権威に依拠する人文学とは異なり、理性のみに立脚する自然科学の本質を洞察しえたのである。もちろん彼は新たに勃興した科学知の側に立つ科学者であったが、同時にポール・ロワイヤル運動に与する敬虔なキリスト者でもあった。それゆえ、科学知と人文知のあいだの対立は、パスカル自身にとっては理性と信仰とのはざまでの葛藤でもあった。彼が選んだのは、理性の領域と信仰の領域との徹底した分離による共存という方策である。それは学問においても、以下のような科学知と人文知の「棲み分け」という形で表れている。

「このような相違が明らかになれば、自然学的問題における論拠として、推理や実験のかわりに権威のみを持ち出す人々の盲目をあわれまざるをえなくなり、また神学において、聖書と教父たちとの権威のかわりに、推理のみを用いる人々の悪意を恐れざるをえなくなる。自然学において何事をも発明しようとしない臆病な人々の勇気を鼓舞し、神学において新説を生み出そうとする無謀な人々の高慢を困惑させなければならない。」[17]

パスカルによれば、「推理や実験」に基づく自然科学（科学知）と「書物の権威」に依拠する人文学（人文知）とは別個の方法と原理に基づく異なった種類の学問なのであり、同一の基準で律することはできない。いわば共通の評価尺度をもたないという意味で、両者はまさに「通約不可能（incommensurable)」なのである。それゆえ、一方の尺度でもって他方を裁くことはできない。ところが、当時は自然科学上の新説に対して、聖書の権威をもって誤謬と断ずるような議論が大手を振ってまかり通っていた。パスカルの「真空論序言」は、公刊こそされなかったものの、そうした時代状況に対する異議申し立ての企てといってよい。裏を返せば、それだけ神学を中心とした人文学の圧倒的優位が自明視されていた時代ということになろう。逆に、現代は自然科学の圧倒的優位が自明視されている時代ということができる。そうした中にあって、パスカルの「棲み分け」の戦略は、今日の人文学の立ち位置を考える際にも、一つの示唆を与えてくれるに違いない。

第四節 「二つの文化」論争

パスカルによる調停案の提示からおよそ300年後、第二次大戦後のイギリスで、再び科学知と人文知の抗争が持ち上がった。いわゆる「二つの文化」論争である。事の発端は、1959年5月にケンブリッジ大学で、科学者から小説家に転身したC.P.スノーが行なった講演「二つの文化と科学革命」に遡る。ここで「二つの文化」とは端的に自然科学と人文学を指している。また「科学革命」とは17世紀のそれではなく20世紀初頭、スノーによれば「原子的な粒子が最初に工業的に利用されだした時期」すなわち「エレクトロニクス、原子力工業、オートメーションがもたらす産業社会」の成立を意味する[18]。また講演が行われた当時は、東西冷戦が始まったばかりの時期で、1957年10月に旧ソ連が人工衛星スプートニクの打上げに成功し、西側陣営が科学研究の立ち遅れに危機感を抱いていた時代であったことを念頭に置いておく必要がある。スノーは、科学革命を推進するためには、科学者と文学的知識人との間にある深い溝を埋める必要があると考えた。

「文学的知識人を一方の極として、他方の極には科学者、しかもその代表的人物として物理学者がいる。そしてこの二つの間をお互いの無理解、ときには（若い人たちの間では）敵意と嫌悪の溝が隔てている。だが、もっと大きいことは、お互いを理解しようとしないことだ。彼らはお互いに、相手に対して奇妙な、ゆがんだイメージをもっている。」[19]
「非科学者たちは、科学者は人間の条件に気がつかず、浅薄な楽天主義者であるという根強い印象をもっている。一方、科学者の信ずるところでは、文学的知識人はまったく先見の明を欠き、自分たちの同胞に無関心であり、深い意味では反知性的で、芸術や思想を実存哲学の契機にだけかぎろうとしている。」[20]

このような具合に、スノーは科学者と文学的知識人との反目と無理解の様子を描き出す。ただし、スノーの主目的は「二つの文化」の対立を煽ることにあったわけではない。彼の重点はむしろ「科学革命」の方にあった。1963年に書かれた「その後の考察」では、スノーは「科学革命によってのみ、たいていの人間はその第一義的なもの（寿命、飢えからの解放、子供の成育）を獲得できるのであって」と述べながら、「講演を草するまえ、私はそれに『富める者と貧しい者』という題をつけようと思っていた。そしていまではむしろ、そのようにしておけばよかったと思っている」[21]と付け加えている。つまり、この講演の反響はすさまじく、世間では科学と人文学の衝突と捉えられ、しかも理系知識人と文系知識人の相互不信を増幅するような形で広がっていったことを先のスノーの言は物語っている。実際、スノーの舌鋒は鋭かった。「科学的文化に属する人々を除いては、西欧の知識人は産業革命を理解しようと試みもしなければ望みもせず、またできもしなかった。（略）知識人、とくに文学的知識人は生まれながらのラダイトだった」[22]という調子である。また彼は、同僚の文学的知識人に熱力学の第二法則の説明を求めたが答えはなかった、これはシェイクスピアを読んだことがあるかと同等の科学上の質問にもかかわらず、とも揶揄している。

スノーの講演を売られた喧嘩と思い、文学的知識人を代表してそれを買って出たのは、ケンブリッジ大学の英文学教授にして剛腕の文芸批評家F.R.リーヴィスであった。彼は1962年2月に同じケンブリッジ大学で「二つの文化？　C.P.スノーの重要性」と題する講演を行った。これはスノーの小説家としての能力を疑うことから始めて、「知的な価値がないということこそが、スノーのパノラマ的なまがい物の説得力、彼のひけらかす主張を扱う際に生じるかもしれない困難さを、構成している。議論の際に必要な知性－それがそこには欠けているのだ」[23]といった具合である。

こうした二人の応酬を、オルダス・ハックスリーは「スノーの科学万能主義」と「リーヴィスの文学万能主義」と呼び、両者は左右対称だと評した[24]。また『「二つの文化」論争』の著者ガイ・オルトラーノは、スノーの立場を「技術家主義のリベラリズム」、リーヴィスのそれを「急進主義のリベラリズム」と特徴づけた。こうした二項対立は、やがて20世紀の後半に入ると、「科学万能主義」とは言わないまでも、「技術家主義のリベラリズム」が主導権を握るにいたる。それがリベラリズムと呼ばれるのは、スノーの「進歩と改革に対する楽観的な信仰心であり、そこでは、才能ある個人は社会に貢献するため既存の制度を通して働くのだ」という確固たるイデオロギーに裏打ちされていたからにほかならない[25]。

こうしてパスカルの時代にはいまだ理念的次元にとどまっていた「二つの文化」（二種類の学問）が、やがて社会制度的次元で分化しはじめ、それがヒエラルキーにまで序列化されるのは、I. ウォーラーステインによれば19世紀のことである。

「19世紀初頭までには、二つの分野への知のこうした分割は『分離されども対等』な諸領域という意味をうしない、少なくとも自然科学者の眼には階層性（ヒエラルキー）の趣を呈するようになった。確実な知識（科学）－対－想像された－仮想的ですらある－知識（科学でないもの）という階層性である。最後に19世紀初頭になると、科学の勝利は言語上でも忍びよってきた。形容詞を特定することのない『科学（サイエンス）』という語は、主として（しばしば排他的に）自然科学と同等視されるようになったのである。」[26]

19世紀に起こったこのような知の地殻変動は、通常「第二次科学革命」ないしは「科学の制度化」と呼ばれる。それを特徴づけるのは、何よりも学問の専門分化（specialization）と専門職業化（professionalization）とそれに伴う大学の再編成である。こうした知の潮流にいちはやく適応したのが、自然科学の諸分野であったことは言うまでもない（逆に言えば、人文学の諸分野は知の制度化に乗り遅れたのである）。自然科学が大学の再編を待たずに活動できた理由について、ウォーラーステインは「なぜなら自然科学は、直接に有用な実践的帰結を生みだすという約束をもとにして、社会的政治的な支援を要請することができたからである」[27]と指摘している。ただし、それによって自然科学と人文学の亀裂は深まっていった。すなわち「爾来、大学は人文学(人文科学)と科学との絶えざる対立の中心的な場となり、今日では両者は、まったく異なった－ある者にとっては敵対的な－知の方法として定義されることになった」[28]のである。そこからスノーの「二つの文化」論までの距離は、ただの一歩というべきであろう。

おわりに　「役に立つ」とはどのようなことか？

二つの文化をめぐる対立や軋轢は、その後も間欠泉のように思わぬ機会に地表に現れてはわれわれを驚かせる。たとえば、1990年代に出来したソーカル事件、いわゆる「サイエンス・ウォーズ」は、明らかに「二つの文化」論争のヴァリエーションとも言うべきものであった。もう一つ瑣末な例を挙げるならば、2015年6月に文部科学省が国立大学法人学長宛てに出した「通知」なるものも、その背景には「二つの文化」があるというべきであろう。というのも、そこには「社会的要請の高い分野」という表現が用いられているからである。これが自然科学分野を指していることは、改めて説明を要しないであろう。そこでは「社会的要請の高い分野(＝役に立つ分野)」と「社会的要請が低い分野(＝役に立たない分野、すなわち人文学)」という二項対立が自明のものとして前提されているのである。

そもそも「役に立つ(＝有用性、useful)」とは自明の概念ではない。歴史的、哲学的に検討と吟味を要する概念である。数学に実利(有用性)を求めて学びに来た若者に、ユークリッドが小銭を与えて追い返したというエピソードは、「役に立つ」ことが直ちに普遍的価値ではないことを示唆している。「役に立つ」ことが積極的価値と認められ始めたのは、18世紀の啓蒙主義時代のことに属する。ダランベールの筆になる『百科全書』序論には、「自由学芸が機械技術の上に有する優越性－それは前者が精神に課する労働とそれに秀でることの困難さによるものだが－は、後者のほとんどが私たちに得させるはるかにまさる有用性によって充分に相殺される」[29]という一文が見える。それゆえ、「役に立つ(有用性)」こと自体、時代精神による意味の変容を免れない。日常生活にはまったく役に立たないと考えられていたアインシュタインの相対性理論が、現在ではGPSなど日常の機器に役立っていることは周知のとおりである。

それゆえ、人文学に求められている役目は、自明性や常識を改めて問い直すことにほかならない。言い換えれば、自然科学が無批判に前提している事柄を鵜呑みにせず、もう一度根底から吟味することである。それは当然にも自己の立脚点をも絶対化せず、相対化する視点をもつこと、すなわち他者の視点を導入することにつながるであろう。その立ち位置は自文化中心主義（エスノセントリズム）とは対極にあるものである。以下のエドワード・サイードの言葉は、まさに人文学の要諦を言い当てている。

「現代の人文学者にとりわけ求められるのは、多様な世界と伝統の複雑な相互作用についての感覚を養うこと、そして属しつつ距離を置き、受容しつつ抵抗するという、先ほど述べた避けがたい組み合わせだ。人文学者に課せられた仕事は、ただある地位や場所を占めどこかに属することではなく、むしろ自分の社会や誰か他の社会や『他者』の社会で問題になっている広く流布した考えや価値観に対して、インサイダーでありかつアウトサイダーであることだ。」[30]

この「属しつつ距離を置き、受容しつつ抵抗する」あるいは「インサイダーでありかつアウトサイダーである」という精神の往復運動こそは、既存の価値を疑い、新たな価値を見いだすために必要な態度である。こうした二重スパイにもなぞらえられる「境界性」こそは、人文学のみにあって自然科学にはない特性であろう。

こうした精神態度は、先に瞥見した人文主義（ユマニスム）の姿勢とも一致する。すなわち、議論が閉塞するたびに「それは人間に関する事柄と何の関係があるのか」と根本に還って問い直す態度である。渡辺一夫はユマニスムの原点を「常に自由検討の精神を働かせて根本の精神をたずね続ける」[31]と端的に要約している。あるいはそれを、野崎歓の言葉を借りて「強靭な相対主義」[32]と言い換えることもできるであろう。凡庸な相対主義が何でもありの無責任な立場だとすれば、強靭な相対主義は自己の絶対化をあたうかぎり避け、自己を他者の鏡に映し出すことによって、自己中心の考え方を問い直し、訂正していく可謬主義的な態度である。

スノーの『二つの文化と科学革命』の新版（1993年）に長文の「解説」を寄稿したステファン・コリーニは、グローバル時代の「二つの文化」のありうべき一場面について次のように述べている。

「スノーの物理学研究者と文芸批評家が、ケンブリッジ大学の教授用の食卓で熱力学の第二法則やシェイクスピアの芝居をめぐって相互理解に達しなかったというのに代わって、20世紀末の時点で彼の『二つの文化』の間の関係を代表する象徴的な人物にふさわしいのは、ひょっとすると、アメリカ人のソフトウェアデザイナーである恋人に宛てて、最近ノーベル文学賞を受賞したアフリカ系カリブ人の詩人についての電子メールを送っているシンガポール系中国人の経済分析の専門家かもしれない。」

まさにこれこそは「強靭な相対主義」の好見本であろう。その意味では、人文学自身もまた、絶えざる自己懐疑と自己相対化の視点を内に持たねばならないのである。

【註】

1）たしか受賞後のお正月番組で行われたテレビ座談会での発言であったと記憶する。
2）Albert Einstein "Ernst Mach" in John Blackmore (ed.) *Ernst Mach – A Deeper Look*, Kluwer Academic Pub., 1992, pp. 157-158.
3）S. チャンドラセカール『「プリンキピア」講義』中村誠太郎監訳、講談社、1998年、23頁。
4）マックス・ウェーバー『職業としての政治／職業としての学問』中山元訳、日経

BP社、2009年、201頁。
5）隠岐さやか『文系と理系はなぜ分かれたのか』星海社、2018年、4頁。
6）アリストテレス『形而上学』出隆訳、1025b25、『アリストテレス全集』第12巻、岩波書店、1968年
7）同前、1026a18
8）『大百科事典』（平凡社、1985年）「人文」（谷川道雄執筆）の項による。
9）林達夫『文藝復興』中公文庫、1981年、214頁。
10）渡辺一夫『ヒューマニズム考』講談社文芸文庫、2019年、36頁。
11）同前、38～41頁。
12）同前、42～43頁。
13）ヤーコプ・ブルクハルト『イタリア・ルネサンスの文化（下）』新井靖一訳、ちくま学芸文庫、2019年、21～22頁。
14）ブレーズ・パスカル『パンセ』前田陽一・由木康訳、中公文庫、1973年、ブランシュヴィック版206
15）ブレーズ・パスカル「真空論序言」、前田陽一・由木康訳『世界の名著24パスカル』中央公論社、1966年、451頁。
16）同前、452～454頁。
17）同前、453頁。
18）C.P.スノー『二つの文化と科学革命』松井巻之助訳、みすず書房、2011年、30頁。
19）同前、5頁。
20）同前、6頁。
21）同前、89頁。
22）同前、23頁。
23）ガイ・オルトラーノ『「二つの文化」論争』増田珠子訳、みすず書房、2019年、3頁。
24）同前、4頁。
25）同前、68頁。
26）イマニュエル・ウォーラーステイン『社会科学をひらく』山田鋭夫訳、藤原書店、1996年、21～22頁。
27）同前、25頁。
28）同前、26頁。
29）ディドロ、ダランベール編『百科全書』桑原武夫訳編、岩波文庫、1971年、60頁。
30）エドワード・サイード『人文学と批評の使命』村山敏勝・三宅敦子訳、岩波書店、2006年、95頁。
31）渡辺一夫『フランス・ルネサンスの人々』岩波文庫、1992年、19頁。
32）野崎歓「地下水の流れを絶やさないために」、前掲書『ヒューマニズム考』所収、227頁。
33）ステファン・コリーニ「解説」、前掲書『二つの文化と科学革命』所収、180頁。

第一部

第一章　人の生き様(よう)と自然の理解
――文化と科学――

沢田　康次

はじめに　東日本大震災と福島原発事故が考えさせたこと

無意識的な、しかしそこにしかない「生き様（よう）」。その人々にとっては当然でしかない「生き様」、そしてそれを失ったときの絶望感。それは、他の何物にも代えがたい大切なことであるから。また、その絶望的状況の中で、いち早く、主要道路の瓦礫を除去し、支援者を通行可能にした重機類、不完全ながら遠方の家族や友人との連絡を可能にした通信機器など科学技術の役割と、ふるさとの喪失を余儀なくさせた原発事故の恐怖。

2011年3月11日のこのことが、私たちに考えさせたことは、

(1) 普通の生活では感じないが、異常事態で気がつく「人が一番大切にしていること」は何か。

(2) 科学技術は普段の便利社会に必要だが、便利社会における本来人間の目的は何なのか。

(3) 科学はヒトの「生き様」をどのように変えたか。科学技術に囲まれた社会における文化とは何か。

東日本大震災は「人間とは何か。」を考えさせた。現代の日本人の「生きよう」を考え、日本の科学技術活動や文化社会活動に思いをめぐらすことにより、その閉塞状態が明治維新に起因していることを意識させた。明治維新は、日本の近代史に大きな「うねり」を作り出し、その負の側面が徐々に拡大して、わが国の科学技術と文化社会活動の行き詰まりをつくり出していること、逆に当時の政治改革で負の遺産を背負わされた東北地方の累々と続く苦難の歴史には「人間とは何か。」の問いに答

える「生き様」があり、わが国の行き詰まり感を変えるヒントがある。このことを学ぶことにより、明治維新の西洋科学文化の移入から脱して、日本人としての人間復興につながることを望みたい。さらに世界を見渡せば、地球温暖化や通信網の普及の影響が、従来の価値観を否定しはじめているようにも見える。わが国の問題はいつの間にか、世界の問題の先回りになっているのかもしれない。

第一節で、世界から見た日本文化と、明治維新による日本人の「生き様」の西洋化を考える。第二節で、わが国における地域文化の例としての東北文化を考え、その特徴と未来への先進性を見る。第三節で、科学の客観性と人間性の調和の可能性を考えるために、「感じる科学」を論じる。第四節で、科学・技術と市場経済が主導する現代社会の問題点と地域産業のもう一つの未来選択の例をみる。第五節で、未来社会のあり様を考える次世代の人材育成の場としてのわが国の国立大学の現状と改善法を考える。そして「おわりに」で結ぶ。

第一節　人の「生き様」

１－１．人の生き様が科学によって急速に変わるとき、文化は？

現代では、科学技術が生き様の変化の多くの要因になっている。過去に於いては貧しい生活を送っている人たちは、フランス革命のように暴動による以外団結する手段がなかった。ネット社会では、富裕層に限らずネットでつながれるようになり、富裕層や知識層からの情報ではなく自らの意見を形成できるようになった。トランプ支持者のように、国家の中で社会的な一定の力を持つ集団を形成できるようになった。これは世界的な現象で、これまで知識層が作ってきた政治的概念が一時的にせよ、簡単に崩壊する時代になった。つまりは、ネットワークは、ヒトの生き様に関しての長期的な考えや将来像など知識層が独占してきた考えを否定する道具を提供したことになる。イギリスが世界に誇ってきた議会制民主主義が機能しなくなる一方で、短期的な自国中心的なトランプ氏がアメリカ大統領として初めて北朝鮮と会談を行うことが可能になったりするのである。

わが国においての大学教育は、外国先進国の教育の受け売りであるという意味で、魅力を失ってきたが、欧米の大学教育も、貧困層からの反撃にあって自分たちの足元を見直さざるを得ないかもしれない。それも皮肉なことに西洋の科学技術が生み出したネットワークの効果であるとは。

科学と文化はどう関係するのか。科学が独走している現代において文化はどこに居場所を見つけるのか。科学は、論理性が信条であるから、概念や評価関数を少なくする役割を果たした。科学的理解とは少数の概念を用いることだ。そのこと自体は、比較的単純な自然系の理解を与えることに役立った。しかしその副作用として、ヒトの行動様式のような複雑なことまでその概念や評価関数を単純化する風潮を生み出した。その結果、人生とゲームの混同が始まった。これは科学・技術のもつ単純化された合理主義の流行による。しかし、大震災は、人生がゲームではないことを教えた。

市場経済は商品の値段を市場という仮想広場の人々が仮想的に想定した購買欲を評価関数にしてその最大値に対応する値段を決める。実は人々には大きな違いがあって、購買意欲最大も人によってばらつく。その対極にあるのが、作る人と買う人が話し合って、注文品と値段を決める。これは両者の個性を尊重したやり方であるが、時間が掛り、工賃も高くなる。

市場経済のやり方は、個性は尊重しないが、短時間に安くできる。市場経済の企業社員は価格だけを評価関数に選ぶことが、人生を捨て去り、ゲームの世界に暮らすことになってしまうのか。単純な評価を目的に生きる生き方と、個人の違いを尊重した評価関数を単純化しない社会の生き方は文化として明らかに異なる。科学は客観性・画一性が絶対視されているように受けとられる場合が多い。しかし、三節で述べるように、人間性との調和が可能であるのだ。

このような状況から考えて、表面的に科学を盲目的に信じたり、ヒトの価値観を画一的に考えたり、教育したりすると人類集団の行く先を間違えることになるかもしれない。いくら科学技術が進んでも、「人間とは何か」という問いは終わらない。

1－2．人とは。

普段は余り意識しないこの問題は、大きな災害によって一瞬にしてすべてを失った人たちのことを考えると、黙って通り抜けられない問題である。ネットワークに時間を使い、AIに敵わないかもしれないと心配している若者たちに、人生とゲームの違いを正確に知ってほしい。人生の意味をよく考えれば、ゲームをやっているようには人生を歩まない筈である。ゲームのアクションは機械の中であって本来それだけであれば他の人に影響しないが、その感覚を実社会で実行するときに問題が起きる。現実社会での個人の行動はその結果が関係する人を喜ばせたり、傷つけたりする。研究を人生にする人たちにとってもゲームとの区別がつかない人たちが出てきた。データ捏造、論文捏造。これらの陥りやすい問題は、研究費を増やす、論文数や引用数を増やす等という評価関数の単純化による場合が多い。AIを有名にした囲碁の場合の評価関数とは、最終的な自分の陣地の大きさであり、途中のさまざまな価値を無視する。このような単純な評価関数は人をゲーム感覚に導きやすい。あたかも一生を終えるときの財産が一番大きくなることが唯一の評価である生き様と似ている。AIが出す答えにどのように対応すべきか。AIが使う評価関数は単純である。単純な評価については優れた能力を発揮する。個人によって異なる複雑な評価関数には能力を発揮できない。それを無視した誤った判断を用いれば、人は傷つくことがありうる。たとえば医療において、AIが出す評価は、臓器の機能の基準値からのずれの集合としての結果を示すが、この基準値は個人によって異なるし、それを被験者に示すときの被験者の受け取り方も個人によるので、ゲームのようには行かない。人がAI化するのは簡単である。人が行動の評価関数を単純化すると、人かAIか区別がつかなくなる。ただし、現在開発中のAIでも、人が運転に集中しているときの路上環境の変化に対する対応能力より必ずしも優れているとは限らない。つまり、運転者が、運転に集中しているときはそれ以外のときの行動の評価関数より単純化されているが、それでも路上環境に対する評価関数は、現在の AI よりまだ優れている。

それよりもヒトの生き様に大きな影響を与えているのはネットワークの普及である。現在では、これまで見られないほどの生き様の変化が生じている。このような急激な外的要因の変化は、年齢差による生き様の分裂を引き起こす。中高年には、自分たちの生き様に不要な異物と映り、若年層は便利な通信機器として受け入れる。ネットワークはどういう意味での通信システムかは、重大な問題で深い議論が必要であるが、人々、特に若年層の生き様を変えている。もしこれが続けば、まもなく全年齢層の生き様が変わる。ネットワークは地域性がないので、人々の生き様はグローバルになり、地域限定的で伝統的な文化は消滅するのか。それとも、ネットワークはヒトの生き様の一部だけをグローバル化し、ネットワーク通信とは関係ない部分を保存・維持・発展できるのであろうか。ネットワークといっても言語による通信が主なので、言語によるローカル性は保存されるとすれば、同一言語圏内の文化の生存の問題に限られるのか。同一言語でも生き様によって考えや表現やニュアンスが異なるので、やはり伝統的文化圏は健在なのか。事実メールを日本語で書く場合と、英語で書く場合はまったく違う。生き様が AI やネットワークなどによって急激に変化しているが、文化はどのような影響を受けるか。

生き様と文化の違いとして、前者はその地域での現時点での独特の人の生き方や人と人との接し方を主に考えるのに対して、後者は長い伝統的な生き様の結果として作り上げた形、又は形式を言う。つまり、文化とは文化財、文化遺産、無形文化財、無形文化遺産という言葉がポピュラーになったように時間的に過去から現在までのつながりが問題となる。飛行機が民間利用できるようになったからといって、飛行機文化ができるわけではない。道具はあくまで道具であって、道具による生き様の変化はあるが、人や社会のアイデンティティーに影響しない。

1－3．世界における日本文化

「尺八」；生の音

科学は個人が自分の個性に応じて選んだ自然の現象を客観的に説明する。文化は個人の意識とは関係なく社会が蓄積してきたものである。その客観性とはなにか。約７年間の滞米後帰国したときに、私は両国の科学に対する考え方の違いを強く感じ、自問自答した。「これは文化の違いと関連するのか。西洋音楽の表現によく使われるフルートは美しい旋律を奏でる。これに対する日本音楽の表現に使われる尺八の音はまったく違う。何が違うのか。どうしてこんなに違うのか。」両方の楽器を勉強するうちに、次のことが分かってきた。フルートはできるだけ雑音が入らないように吹く。一方、尺八は息の音を入れる。自分の心を表現したい気持ちはこんなに違うのか。また、教授法がまったく違う。フルートの教授法はどうするか、どうしたらいけないかを言葉で教える。尺八の教授法では、師は「私のように吹きなさい。」と言うだけで、お互いに向き合って吹くが、それ以上師は何も言わないで終わる。

「弓道」；的（まと）でなく形

仙台の旧制二高の弓道部師範阿波研造によると、術（テクニック）としての弓を否定し、道としての弓を探求する宗教的な素養が強かった。阿波研造には以下のようなエピソードがある（参考資料１）。旧仙台二高に講師として招聘されたドイツ人哲学者オイゲン・ヘリゲルは、日本文化の研究のため弓術を研究することにし、阿波に弟子入りした。しかし、狙わずに命中させるという阿波の教えは合理的な西洋人哲学者に納得できるものではなく、ヘリゲルは本当にそんなことができるのかと師に疑問をぶつけた。阿波は、納得できないならば夜9時に私の自宅に来なさいとヘリゲルを招いた。真っ暗な自宅道場で一本の蚊取線香に火を灯し三寸的の前に立てる。闇の中に線香の灯がゆらめくのみで、的は見えない。

そのような状態で阿波は矢を二本放つ。一本目は的の真ん中に命中。二本目は一本目の矢筈に中たり、その矢を引き裂いていた。暗闇でも炸裂音で的に当たったことがわかったとオイゲンは『弓と禅』において語っている。二本目の状態は垜（あづち）側の明かりをつけて判明した。この時、阿波は、「先に当たった甲矢はたいした事がない。数十年馴染んでいる垜（あづち）だから的がどこにあるか知っていたと思うでしょう、しかし、甲矢に当たった乙矢……これをどう考えられますか」とオイゲンに語った（オイゲン・ヘリゲル著『弓と禅』より）。

「能」；生者と死者の語らい

最近パリ公演を行った観世流の能を見たフランス人は「これほどのものを長期にわたって継承してきた日本は間違いなく優れた芸術国家である。」とコメントしていた。観世流シテ方の梅若実氏が能「清経」、和泉流狂言方の野村萬氏が狂言「木六駄」を上演した。浅見氏は「海外向けの味付けはせず、正統なやり方でお見せする」と語っていた。能は、生者と死者が共に歩んだそれぞれの運命を舞台で語り合う芸術である。こんな芸術は世界中どこにもない。能が完成したといわれる14世紀には、確かに生と死は日常茶飯事で、いつどちらの世界に入るのかという時代で、現代のように生と死は分離されていなかった。死者と生者が話し合って初めて生と死の意味が分かるのだ。日本文化の代表として世界が賞賛する芸術である。

これらは日本という地域の文化の例であるが、共通しているのは言葉を使って教授しない点である。教師は寡黙である。主体性の無い人が始めても進歩は無い。主体性は教えられない。教師はお手本を示すだけ。その中で弟子が自ら何かを発見すればあとは放っておいても伸びる。輸入した日本の科学の教授法との違いを見るようだ。ただし、このような教育方法は、少人数寺子屋においてのみ可能で、現在のマスプロ大学には当てはまらない。この問題は五節でまた取り上げる。

1－4．戦災からの復興に見る日本文化とドイツ文化

ドイツの市街地と日本の市街地は第二次世界大戦によって、ともに壊滅した、原子爆弾の投下が有ったか無かったかの違いは別として。両国とも戦後、懸命の努力によって復興を成し遂げた。この復興のプロセスにおける両国の文化の基本的違いについて考えてみたい。

日本では、米軍の爆撃を受けなかった主要都市は数少なく、都市は殆ど爆撃で消失した。消失してしまった街のあとには仕方なくできるだけ安い建材のプレハブで、色も赤や青の屋根の家を作り、まったく戦前の旧家や農家はなくなってしまった。生きることが精一杯であった。一方、ドイツも連合軍の爆撃で市街地はほぼ完全に破壊されたが、ドレスデンやニュールンベルグでは、残っていた街の地図を使って、破壊された建物のかけらを拾い集めて、ほぼ全ての建物を従前のものと同様に復活した。この執念は何か。

日本の旧家や農家も魅力はあるが、ドイツの復興に見るような、それがなくては生きていけないほどの執着がないのかもしれない。石の文化と木の文化の違いか。しかし日本にはすぐれた建築家が沢山いるし、折り紙文化と関係して日本人は建築家としてのセンスには評判がある。この違いは説明できるのだろうか。第二次世界大戦の後の復興の違いは、日本が西洋科学の水平輸入を行い、気安く受け入れたことに関係しないだろうか。そしてその前の時代の武士道を復興しようとしないことに関係ないだろうか。これも木と紙の文化の持つはかなさと関連があるのだろうか。そしてそれは災害国の持つあきらめにも関係しないだろうか。

すぐ気が付くことは、石の文化と木と紙の文化の違いである。後者であった日本では、崩壊して焼けた木のくずを拾い集めることはできない。もう一つ気が付くことは、日本は自然災害の極めて多い国であるのに対して欧州には殆どない。逆に日本には17世紀以来350年ほど国内戦争はなかったが、欧州には第二次大戦まで戦いが頻発していた。自然災害と人間災害を比べると、前者が多い場合建築物は軽量のほうが良く、後者には石の建築が向いていることは確かである。石の建築はキリスト

教の建物に用いられ、永遠の存在としての神の象徴にもなった。一方、日本では、無常や輪廻を説く仏教には木や紙が合っていた。災害の種類が考え方や生き様に影響し戦後の復興のあり方も違うのは当然であった。ドイツの科学者の友人の一人に、「ドイツ人は永遠への願望が日本人より強いと思うか？」と聞いたところ、「そうは思わないが敵からコミュニティーを守るために頑丈な石建築にしていると思う」との答えであった。この意見が正しいかどうかはまだ分からない。3.11の被災地を10m近いコンクリート壁でとり囲み、自然災害多発国が自然災害のない国の方式に切り替えたことに違和感を感じる人が多い。

1－5．明治維新による生き様の西洋化

明治維新は、西洋科学と西洋文化を水平輸入した。当時の状況として誰もが納得する大きな流れとして、

1．外国の圧力が強まってきた。
2．徳川幕府の統治能力が低下してきたので、外国と交渉できる新体制が必要で、政権交代は止むを得なかった。
3．外国の介入を避けるために、政権交代をできる限り短時間に、且つ戦いを最小限で行う必要があった。

この結果、２－２で後述するように西洋の科学技術が、水平輸入され、それに伴ってその科学技術を生み出した西洋文化も輸入され、日本古来の文化の比重は軽減した。当時の事情を考えれば、やむをえなかったことは、頷けるが、そのときわが国に発生した「うねり」が150年を経た現代にも現れている。日本の近代史は、結局、明治維新のときの急激な変化がもたらした「うねり」であることを理解することが必要である。

政治的にも西洋列強に対抗する富国強兵政策は短期間に実を結んだものと誤解し、西洋列強に似た国土拡大政策を採って、その挙句第二次世界大戦に突入してしまい、わが国の辛酸とアジアの諸国に与えた苦悩は計り知れない。今年の５月、私は中国人の留学生と研究のことで話す機会があった。「日本の住み心地はどうですか？」ときくと口ごもっている

ので「日本も150年前には武士道という考えがあって、ヒトはどう生きるべきかをよく考えたのですが、明治の時代に入って、西洋化に邁進し、それまでの生き方を忘れてしまい、中国や韓国の皆さんに大変迷惑を掛けてしまいました。」というと、その留学生は戸惑いの表情を見せて「5年間日本に滞在していますが、そのようなことを日本人から聞くのは初めてです。私たちから言うことはできませんので、わからない壁を感じながら留学生活しています。日本は好きですけれど。」このことを東北大学の基礎ゼミ受講生に報告したら、一人の学生が「自分は中国人と日本人が住んでいる寮にいるので、そのことについて話してみます。」といってくれたのを聞いてとてもうれしく思った。彼らとのわだかまりを話し合ってこそ国際交流ではないか。日本は、長年日本固有の精神的支柱を作り上げてきたが、150年前に当時の緊急な必要性のために、日本固有の文化との調和を図ることができず、西洋科学を表面的に輸入し、西洋的な政策を実行した。その結果、近隣諸国に多大な迷惑をかける植民地化と戦争に走り、すべてを失って約75年が経過した。しかし明治維新の結果を正しく理解しないと、我々が抱えている現代問題は解決しない。次節で、明治維新が残したうねりが大きく影響している地域文化を論じたい。

第二節　地域文化；その例としての東北人の生き様

2－1．東北の苦悩、誇り、そして文化

島国の日本は海を隔てる他の地域とは交流が日常的ではなかったので、固有の生き様を持ってきた。16世紀に戦国時代が終わり、全国が政治的には統一された。それでも生き様までは統一されなかった。江戸文化と上方文化が生き様の違いとして表現されることが多いが、それ以外の地域にも頑固に生き様を守っている地域がある。その中で将来の日本にとってとりわけ重要なのは東北の文化である。

東北地方には、200年以上前に既に6次産業を実行して藩の財政を立て直した上杉鷹山や、慶長三陸大震災（1611）のわずか2年後に遣欧使

節団を派遣した伊達政宗など、他地域には見られない傑出したリーダーが、数多く存在すると同時に、縄文時代から自然と調和して生きる文化を大切にしてきた。東北の文化は、自然環境との戦いと中央政権との戦いの中から形作られてきた。日本の中でも地震・津波・冷害が極めて多かった。マグニチュード7.9以上の地震や冷害凶作は約50年に一度東北を襲った。「蝦夷戦争（三十八年戦争）」、「前九年後三年の役」、「奥州戦争」、「奥州仕置き」、「戊辰戦争」など中央政権との不利な戦いが続き東北5連敗の歴史を作った。その厳しい環境の中で、上記の二人のほかに、藤原清衡、安藤昌益、林子平、松平容保、大槻文彦、原敬、新渡戸稲造、後藤新平、野口英世、宮沢賢治、棟方志功など独自な世界をつくる人物（参考資料2）を輩出した。

東北人の生き様の、筋を通す、急がない、思いやり、自然とともになどの特徴は、日ごろよく見る車の運転マナーの例で分かる。

「東北人は急がない。」……片道複数車線の道路で、交差点や車線閉鎖の3kmほど前から、他車線が混んでいるのに、がら空きの車線がある風景がよく見られる。並んで順番を待っている人がいるのに、その人たちより早く進むことを潔しとしない。これを見る異文化人は、初めのうちは、「車線を空けておくのは無駄である。行ける所まで行って、その点で譲り合って合流すれば良いではないか。」と考える。仮に合流点まで進んで、頑固に混んでいる車線を進む人たちに割り込む形になり「すみません」と手を上げて進むことは可能である。しかし「すみません」という自分の声が自分にも虚ろに響く。「5分早く目的地についても人生が豊かになりますか？」といわれているような気分になる。だから、東北地方には市場経済は馴染まないように見える。このことが四節で述べる東北経済連合会50周年記念シンポジウムで見事に指摘されている。

「東北人は思いやる。」……それだけにとどまらない。びっくりすることがある。主要道路に細いわき道がぶつかっている。そのわき道から出てくる車に主要道路を走る車が止まって、先を譲ることをたびたび見かける。そこには優先道路という車社会のルールは見えず、対等の人間同士

草木塔

の譲り合いの関係なのである。このことを考えると、東北人の生き様は以前とは異なる車社会が入ってきても、西洋人の生き様にならず、至極当たり前のこととして、従来の生き様を、頑固に守っている。

「自然とともに生きる東北。」……草木にもそれぞれ霊魂がやどり、その草木から得られる恩恵に感謝し、伐り倒した草木の魂を供養する心が草木塔を建てさせた。草木塔の中で最も古いものが米沢市大字入田沢塩路平にあり上杉鷹山の時代1780年に建てられた。米沢地域だけで170塔が確認されている。

2－2．戊辰戦争

東北人には5連敗の歴史の中で、特に戊辰戦争の不条理は納得がいかない（参考資料3）。戊辰戦争を抜きに東北文化は語れない。孝明天皇に京都守護を依頼された会津藩が何故朝敵として薩長の攻撃対象にされ、戊辰戦争後に極寒の下北半島に追いやられたか。何故、徳川慶喜はあのような無責任な大政奉還をやったのか。何故榎本武揚は函館戦争に敗北したか。戊辰戦争の動きは以下に集約される。

1867年1月30日　孝明天皇急死
11月9日　徳川慶喜大政奉還
1868年1月27日　鳥羽伏見の戦い
3月14日　西郷・勝会談（無血開城）

5月3日　奥羽越列藩同盟
10月26日　榎本武揚五稜郭占拠
11月6日　会津藩降伏
1869年5月15日　函館戦争終結

新体制も旧体制もトップは、1－5で述べた政治改革の必要性1～3を理解していたが、個人がそれを明白な形で意識していたとは限らない。

「徳川慶喜の責任」……一番の責任者は体制のトップである。話が通らない人たちに、不用意に権力を渡す大政奉還を宣言したことである。徳川慶喜が大政奉還を申し出た同じ日に、密勅「錦の御旗」が偽造され、薩摩藩と長州藩に届けられた。半年前に、強硬な攘夷論であり会津藩に守護されていた孝明天皇が不可解な急死をしていたので、天皇から遠ざけられていた岩倉具視の謀略ではないかと疑われている。本来は、実権を渡さずに『5年後に大政奉還するので、その間、そのための体制作りをする』と宣言すべきであった。クーデターの素地を作り、戦争中の兵士に内密に、京都から大坂城を経て江戸に戻った徳川慶喜の責任は重く、松平容保を同行させたことが会津の悲劇の原因を作った。徳川慶喜が種々の才覚と配慮（参考資料4）があったにしても、それを体現する段階において大きな失態を犯した責任を無視できない。結局は、幕府の統制力の低下が、慶喜の不可解な行動の遠因となっている。

「榎本武揚の振る舞い」……幕府の兵を江戸から離す必要があること自体は正に最重要事項であったので、それを敢行した勇気と力は、大変なものである。しかし、敗戦後に示した行為（参考資料5）が事実であっても、その行動には幾多の不明な事柄がある。特に以下の2点は納得がいかない。

（疑問点1）榎本武明が、独立国を作ると称して、幕府の軍艦の80%を使って北海道に幕府の武士2千人を連れて行ったこと。どうして幕府の軍総監の勝海舟が海軍副隊長の榎本の行動を許したのか。勝が許可していても許可していなくても、何故、西郷はその責任を追及せずに勝と新政府のことなどについて会談できるのか。これらの行動計画と実行には、榎本と勝そして西郷との無意識・暗密の了解があったと考えるのが、一番理解しやすい。勝は榎本を一度は説得したが、榎本の行動力には無力であった。幕府軍事の最高責任者としての勝海舟はそのことで責任を追及されることはなかった。勝が西郷との会談のときに示した力が影響したか、新政府の内部問題のほうが大きかったのかもしれない。榎本が、敗戦後自殺を図ったという記録はあるが、心の中に勝海舟の説得が残っていなかったとはいえない。榎本は明治政府で外務大臣、電気学会初代会長、初代逓信大臣、文部大臣、農商務大臣などの要職を歴任している（参考資料7）。会津藩への仕打ちと比較すると論外である。

（疑問点2）当時最大の戦艦開陽丸が江刺港で暴風雨のため座礁したこと。その記録は榎本首脳部の記載で、江差にはその日嵐はなかったという当時の地元の記録がある（参考資料6）。開陽丸が座礁・沈没しなければ榎本らは新政府軍に降伏する理由を見出せなかったのかもしれない。函館奉行に榎本らの行動に関する記録が残っていない。これは敗戦を周りに説得するための工作とも考えられるが、検証が必要である。

どちらにしても納得がいかない。理解するためには、西郷、慶喜、勝、榎本達が無矛盾な行動をとっていたと考えると無理で、非論理的で無意識的な意思のようなものがいつの間にか形成され、その一部が行動として現れると解釈するしかないと考える。特に緊急事態のときに、それまで考えてきた基本路線からの変更は止むを得ない場合が十分あり得るので、歴史の転換の場合は、ある少数の集団の決断が、個人の基本路線より優先し、個人が意識的にまたは無意識的に妥協したと考えられる。実は、非論理的に形成される意思は、太平洋戦争の場合も軍の間で現れ、論理性がないため責任論を明確にできない。これは日本特有の「生き様」かもしれない。明治維新が生み出した近代史の「うねり」と、それを「ばね」とした未来改革のために上記の問題を明らかにする必要がある。

それにしても、それまで幕府のために北は北海道から西は長州まで全力で働き、京都で天皇を守る役割を果たしながら、天皇を暗殺し偽の錦の御旗を掲げた可能性のある集団のために、徳川慶喜の最終段階での不見識な行動で、見捨てられた会津藩の苦悩は察しても余りある。

2－3．上杉鷹山に見る東北文化の先進性

東北の生き様は、5連敗に見られるように勝つことを目的にしていない。それにもかかわらず、東北文化は先進性を示してきた。

(参考資料；「東北人物伝」－光と風と心と－勝股康行著（丸善、2010))

上杉藩は関が原の戦いで西軍に属したので、その仕置きによって120万石から15万石に減俸されたにもかかわらず、約6千人の家臣をそのまま仕えさせてので、財政は逼迫していた。上杉鷹山は、1767年17歳で藩主になり、財政改革、産業改革、政治改革、教育改革を断行し、11万両の借入金は返済され、別に軍用金5千両が蓄積された。

また、鷹山が次期藩主・治広に家督を譲る際1785年に申し渡した「伝国の辞」(1785）は3条からなる藩主としての心得である。

一、国家は先祖より子孫へ伝え候国家にして我私すべき物にはこれ無く候

一、人民は国家に属したる人民にして我私すべき物にはこれ無く候

一、国家人民の為に立たる君にて君の為に立たる国家人民にはこれ無く候

図1．上杉鷹山像

この内容は、1789 年のフランス革命に先立つこと 4 年、1862 年リンカーンの演説に先立つこと 77 年の先進性を持っていたことを知って、アメリカ 35 代大統領ケネディーは最も尊敬する日本人と考えていたことが知られている。日本で可能なことはアメリカでも可能かもしれないと考えて 1961 年の就任演説（参考資料 8 ）の最後に

> And so, my fellow Americans : ask not what your country can do for you--ask what you can do for your country.

という有名な言葉を残した。ただし、その直後の

> My fellow citizens of the world: ask not what America will do for you, but what together we can do for the freedom of man.

も今では重要になってきたかもしれないことを付け加えたい。

第三節　自然の理解

3 − 1．自然の不思議と人工物の不思議

電気が普及していない時代の夜空は、満天の星で埋め尽くされていた。明るかった。この時代に星はどう動くのか。明るいおおきな星と少し暗めの小さく見える星がある。帯状の雲のようなものは何だ？　と不思議がる人々がいただろう。また、同じ季節にいつも同じ色で、同じ対象性をもって咲く花をどうしてだろうと思った人がいたに違いない。小さな細胞 1 個から人間ができる。自然はどこまでも不思議だ。

現代では不思議は自然だけではなくなった。人工物も不思議である。小さな箱に入った機械が希望する人からの信号をかぎ分けて聴くことができたり、世界中の希望する人に自分の気持ちを伝えることができたりする。そんなことがどうしてできるのか。また自分の知りたいことのキーワードをネットに入れれば、瞬時に多くの情報が入手できる。これがどのくらい凄いことなのか知らないで生きている生き様は、原始の地球上で、自然の不思議さを感じないで生きていた動物たちと同じかもしれない。または神の世界に安住していた中世の人たちと同じかもしれない。そうだとすると、世界中が 2 度目の人間復興を必要としているのかもし

れない。

3－2．人の生き様と自然の理解

わが国には、これまでに見た独自の文化と先進性がある。このことはわが国の科学にどのようにかかわるか。木と紙の文化を背負った日本人が石の文化を背負った西洋人が築いた科学をどうするか。科学研究は文化と無関係か。それとも、自らの文化を個性とし、その個性を生かした科学は可能か。

自然を理解すると、その一部をヒトの好む方向に変形できないかという心が芽生える。どうしてそのような心が目覚めるのか。これは動物でも植物でも自分に似たようなことを役立つように自然を利用している。ダーウィンの自然選択、即ち“いろいろな可能性のうち環境を最大限利用できるものが生存する”の結果といえるかもしれない。

つまり、他の動物がなしえなかった自然の理解が、人の生き様を変えた。一方、自然の理解は、ヒトの生き様によって異なる。中世のヨーロッパでキリスト教的な生活を送っていた人たちの自然の理解とルネッサンスを経験した人たちの17世紀以後の自然の理解は異なるものに成った。ガリレオやニュートンがヨーロッパで起きた生き様の変化と無関係に突然万有引力の法則を発見したのではない。14世紀にルネッサンスが始まったとすると、実に3世紀を経て、科学は人間復興の結果として生まれたのだ。

日本は、その地理的理由により、他国との交流が比較的限定的であったが、1633年からおよそ230年ほど続いた江戸時代の鎖国は、殆どわが国の人々の間のみでの交流となり固有の生き様を作り出した。しかし自然の理解は進まなかった。この理由は、大変興味がある。西洋科学を推し進めた分析的手法ではなく、日本文化の持つ統合的思考が、自然を征服するのではなく自然と共存する生き様にあっていたのかもしれない。

明治になって、産業革命の真只中にあったイギリスなどに開国を迫られ、富国強兵のために西洋科学を水平輸入した。日本人の生き様に合うか否かを検討するゆとりがなかったのは、止むを得ないことであったということになっている。この理由を掘り下げることが、生き様の違いを考える上で大切である。各国が生存を掛けて競い合う生存競争が無ければ、自然の理解はその国、その地域固有のものでよかった。他国・他地域との接触が始まり、他国・他地域が同じ人間同士であるという認識ではなく、自分たちにとっての環境にすぎないという考えになると、戦争という生存競争に無視できない集団行動が起きる。そのとき、自然の理解の進歩に従って進歩した道具を持つようになった方が勝利することは仕方が無い。太平洋戦争末期の神風特攻隊や竹やりで自動小銃に立ち向かって戦おうとした軍の考えは、理解できない。

生き様が自然の理解に影響し、自然の理解が道具を作り出し、その道具が生き様を変える。この循環と国際関係グローバル化が始まると、生き残るためには、先ず、道具を取り入れ、それに合う明治政府の要人のちょび髭のように生き様を変えて、それに沿った自然の理解を受け入れるしかないと考えた。そこには日本人固有の生き様は、存在しない。その結果、わが国の生き様には固有文化の影を潜め、自然の理解は西洋科学を受動的に受け入れることにしたのだ。受動的西洋科学と固有文化の軽視は現在でも尾を引き、科学研究の伸び悩みと、理系と文系の断絶の遠因になっている。

しかし、いまや道具を使って戦う時代は終わった。科学の発達と国の生存運命は直接関係が無い。軍事強化を主目的とした150年前の西洋化の必要はもうないので、わが国独自の生き様を反映した科学が世界的に求められる。

我々を生み出した豊かな自然、我々とほぼ無関係に遠くで輝いている無数の星々。私たちはこれらの自然を理解したか。中学や高等学校で、教えている理科の教科書の内容は極当然のように書いてある。絶対に正しいかのように書いてある。科学は絶対だとずっと信じてきた人たちが多いと思う。絶対に正しいと無条件に受け入れるのは、まさに中世におけるヨーロッパの宗教的世界観である。これらは、わが国の明治以来の

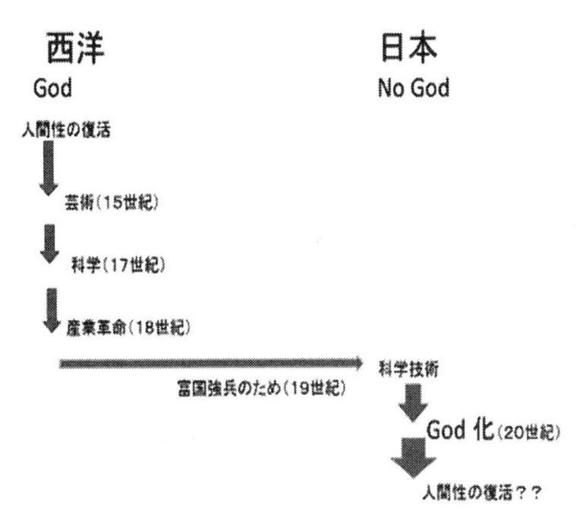

図2．日本に水平輸入された西洋科学

科学政策に起因している。150年前の開国以来の富国強兵政策を短時間に達成するために、政府が取った科学の水平輸入である。当時の国際事情から考えてこのことはやむをえなかった。

しかし、わが国の教育はまだ当時から変わらない部分が多い。教科書を見ても、参考書を見てもわが国のものは薄っぺらで、要点だけを事実として書いてあるだけで、著者の特徴が現れることが少ない。「科学は客観的真実であって、人柄が入ってくるのは良くない」との考えがどこかにある。それに反してアメリカの教科書は分厚く、人柄があふれていて読んで楽しい。分厚いので、読むのに時間がかかるので、学生の授業外の勉強時間は日本の学生の数倍以上という統計がある。でも本当に分かったという実感を持つことができる。

3－3．西洋で生まれた科学と日本の科学

わが国のサイエンスは150年前の水平輸入した西洋科学を受け継いでいる。当然ながら、受身の科学である。勿論、わが国には部分的にはそれでも独創的な成果は確かに生まれているが、平均的にいうと受身的学問は批判力を弱め、既にあまたある他者の研究の隙間を探す苦労から始

めなければならず、効率がおびただしく悪い。研究資金が沢山あってもそれを正しく使う時間が十分でない。

日本は、それでも西洋科学を日本語に翻訳し、自国語で科学を研究教育しているアジアでは唯一の国であり、そのことがノーベル賞の多い原因の一つであるとする意見もある。また、150年も経てば西洋の受身科学ではなくなるのではないかと考える人がいるかも知れないが、未だにそれほど変わっているようには見えない。留学を間近に控えた大学院生に「留学の目的は？」と聞くと「勉強してきます」というが「私の科学を試してきます」とは言わない。研究者間のディスカッションが少なく、他分野への関心は余りない。まだまだ受動的水平輸入科学の影響が残っている。

科学行政はこれを脱却するためには「選択と集中」策が良いと考えたらしいが、考え違いである。受身的科学の影響が残っている現状に加えて研究資金獲得競争に時間をとられる。これでは成果を期待するほうが無理である。事実、わが国の科学研究のレベルに改善が見られず、アメリカと中国に水をあけられる傾向が続いている。この状況から脱却する方法を考えるためには、生き様の議論をしなければならない。生き様は科学者だけの生き様ではなく、わが国の社会の生き様が基本であり、それが科学者にも当てはまるのである。

前節で見たように、戦後の復興の違いを見て、木と紙の文化を背負った我々が、石の文化を背負った西洋人が築いた科学に対して「そう言われればそうかもしれない」と思い、「これは凄い。これだ！」と思わないとしても、それは、ある意味で当然かも知れない。しかし、受動的行動は、一般に能動的行動の十分の一くらいの力しか示せないことは色々な分野の経験からあきらかである。輸入科学は、「なんとなくぴったりこないけれど、受け入れたほうがよさそうだ科学」であるため、「これは凄い。これだ！科学」の十分の一くらいの力しか示せない。自分の考えをしっかりと作り、それを別の一人と話し合うしかない。自分の考えを作るには、自分を見つめなければならない。もし、日本人の個性を反映した科学実験、研究テーマを追及できれば、「これは凄い。これだ！科学」が日本に生まれるに違いない。

3－4．感じる科学と感じない科学

西洋や東洋の区別ではなくて、「自然科学を感じる得るか？」ということを問題にしてみよう。自然科学は分かりたい自然現象を、基本となる自然法則から出発して“論理的”に、順を追うことである。例えば、手に握った小石は、手を開くと何故、真下に落ちるかが分かりたいとする。小石を手で押せばその押す力によって、下の方向に動くことは分かる。しかし、小石を手で押していないのに下の方向に動くことは納得しにくい。現在の法則によると、小石とその周りの他の物とは万有引力で引き合っている。その周りの物は人が立っている地球が一番大きいので下方向に引っ張られて、その結果落ちる。この説明は大地が地球という物質の塊りであることを知らないと納得いかない。我々が地球という塊りの上にいることは、月に映る地球の影、月食から分かる。現代では、勿論宇宙ロケットからそれが見える。このように論理の中身をすべて納得できる組み合わせがないと分かったとはいえない。それでも最初の万有引力がどうして生じるかは、現代の科学でも未解決である。勿論理解されなくても法則は確かに有用である。また法則は、自然を理解する方向に進む一歩であって、理解したと考えるのは間違いである。実は科学的手法で自然を完全に理解することはありえないとも言える。

また、自然科学の対象には、大きさがあり、変化の速さがあり、数があり、複雑さがある。これらのすべてが、ヒトの生き様とはかけ離れている。1は基本単位だから良いとして2は両手や両親などペアを示しなじみがある。5は片手の指の数としてなじみがある。10は両手の指の数である。それ以外28は月が満ちる日数くらいまでは、日常の生き様の中に出てくる数字だが、それ以外は余りなじみがない。ここで既に数字のマジックが始まっている。

1から9までは違う字で書くのに9の次は10と書く。1の10倍という

意味だ。何故10を特別扱いするかというと何時までも新しい字を使っていると字が多くなりすぎて、ちょっとみてもどの位の数か分かりにくくなるからである。これは便利だと数字を発明したインドの人たちは考えた。これを使うとどんな大きな数字でも1から9の数字と0を使えば書ける。

自然を記述するのに大きな数字がどうしても必要だ。たとえば巨大地震のエネルギーと核分裂のエネルギーについて考えてみよう。

例1．「巨大地震のエネルギー」

3.11東北地方太平洋沖地震は、太平洋の海底を厚さ25km、幅約100kmの太平洋プレートが日本海溝から、1年に8cm大陸プレートの下側にもぐり込むが、東北地方の沖合いで、幅100km奥行き50kmのアスペリティー（固着界面）が存在して、そこに約1000年に亘り固着していたため、50kmの奥行きが80m圧縮された。それが突然はずれるとそこに溜まっていたエネルギーは運動エネルギーとなり、地震と津波になる。ばねに溜めるエネルギーと同じ計算すると（参考資料9）

3.11東北地方太平洋沖地震のエネルギーは＝ 5×10^{18}

（N・m、またはジュール）

＝約 1×10^{18} カロリー

「感覚的に分かる量」……この地震のエネルギーは1000km平方、深さ1mの水の温度を1℃上昇させるエネルギー。地震の大きさはマグニチュードMで表現されるが、どんなエネルギーなのか分からない。3.11の東北地方太平洋沖地震は $M = 9.0$ であるが、Mの定義；$E = 10$ の $(1.5M + 4.8)$ 乗を用いると 2×10^{18} ジュールとなり、上記のモデル計算とほぼ一致する。Mの定義によると、Mが1大きくなると、地震のエネルギーは32倍、Mが2大きくなるとエネルギーは約1000倍になる。

例2．「核分裂のエネルギーの大きさ」

見積もりを簡略化するために、核分裂のエネルギーと馴染みの炭素原子の燃焼のエネルギーを比べる。核分裂のエネルギーはほぼ核のエネルギー程度と考え、同様に原子の燃焼エネルギーは原子のエネルギー程度と考える。原子や原子核のように微小な粒子は小さければ小さいだけエネルギーが大きいことだけを使う。（参考資料 10）大きさが半分になると、エネルギーは 4 倍、大きさが 10 分の 1 になると、エネルギーは 100 倍になる。つまり大きさの逆数の 2 乗である。原子核の大きさは、大体原子の一万分の一なので、エネルギーは約一億倍になる。正確には核子の数と質量を考慮したウラン 235 の核分裂エネルギーは、炭素原子の酸化エネルギーの 2 千万倍である。

「感覚的に分かる量」……科学の持つ最大の欠陥は分かり易そうな数字を使って、ヒトの感覚では理解できない大きな現象を扱うことである。「2 千万倍とはどのくらい大きいか説明してください。」という問題に答えられる大学生は理系でも極めて少ない。せめて 10 円玉 1 個と生涯の給料の総額の比だとか、1 歩あるくのと、日本からチリまで歩くのと距離の比だとか言ってほしい。この人間のスケールと比較することが感じることなのだ。大きな数字のものを獲得するにはそれに見合った対価が発生するのは普通だ。この大きな比率から、事故率に対する比も推測できる。物理量のゆらぎは平方根に比例するので、予測できない事故率は 1 万倍大きい。原子炉設計にはその比率を考慮した注意が必要である。

このように巨大科学には大きな数値が出てくる。これらの巨大な数値は、感覚的に分かる量に常に翻訳して感じなければならない。チリまで歩くという対価、一生涯はたらくことの対価。大きな感じない科学を教育し、感じない科学を築き上げていくのは社会に無責任である。人が感じない科学は人を置き去りにして進む。一般人からすると科学は自分たちの分からないものをどんどん作って、人に責任をおっかぶせる。またそれを放置しているのも無責任である。何故そうなるか。科学の側にいる人たちは、残念ながら分野が細分化されて隣で行われている研究さえ理解できない。しかも、科学の結果と被害を受け取るだけの側にいる人たちは、説明を十分求めない。前者は自分もコミットしているという自意識、後者は自分たちも利益を享受している感覚があって、強く説明を求めない。この結果社会は無責任状態として進行する。承認を与えていないものごとの責任を取ることはできないことを社会はもっと主張すべきである。それこそが現代における人間復興ではないか。

人間の時間スケールと空間スケールは、科学が対象とする原子や原子核とかけ離れている。普段の生活では、その違いに気付かないで生きている。最近この違いを感じた人たちがいた。2011年3月11日の東北大震災と福島原子力発電所の大事故の被害者たちである。

地震やそれが引き起こす津波の想像を絶する力に打ちのめされた人たちが、たまたま見たその夜の満天の星空の凄さ。折り重なって天を埋め尽くし明るい星はもちろん、普段は見えない星までも同じように明るく輝いていた。地上で起きている真っ黒な地獄と天空のこの輝きの対比に、宇宙は『人間たちよ。何をしても無駄だよ。』と言っているようで、改めて言葉を失った。この人は、このとき自分を星のタイムスケールから見たのだ。(参考資料11、NHKドキュメンタリー「あの日の星空」)

人が自然災害や人為災害に会って必死に生きようとしているとき、感じない科学をやる人間の無責任さでは何も説明できない。

4－5．科学の客観性と人間性の調和は可能である。

客観性とは異なる人が同じ実験を行っても、また同じ人が別のときに同じ実験を行っても同じ結果を得るということである。これは極めて大雑把な話であることを知らなければ成らない。そもそも同じ実験はできないのである。実験は対象を実験箱に閉じ込めることから始める。

もし実験対象が生物またはその断片であるとする。そもそも同じ生物個体はいないし断片も同じ断片を作ることはできない。生物でなければよいか。お互いに引き合ったり、反発しあう粒子の集まりを考えよう。これをある時間に観察を始めてある時間に写真を撮ることにする。何度繰り返しても同じ写真は取れないことが分かっている。三つ以上の総合作用する物体はその力学が完全に分かっていても、その初期条件を無限に精度良く再現できないので、その誤差が時間とともに拡大され、何回やっても同じ写真は取れないのである。

40年程前に明らかになったカオス力学と呼ばれるこの事実は、因果律は成立しているのに再現しないことを意味していて、自然認識に大きな変革を与えた。科学の客観性に注意マークをつけたのである。また、実験対象が電子や核のように小さくなると、粒子と波動の二重性が現れることを示した量子力学は本質的に不確定性を持っていることが示されている。つまり微小粒子の振る舞いは確率的にしか分からない。

ここまでの不確かさは、科学の無力さよりも科学がそこまで明らかにしたのかという科学の力強さかもしれない。しかし私たちの身の回りにいるし私たち自身でもある命に関して科学はどこまで明らかにしてきたか？　明らかに地球が形成されたときには生命はなかったとすると、いつか地球上のどこかで生命が初めて誕生した。どうして誕生したのか。また、生命はエネルギー代謝を行って生命を維持している。生命は自己複製という極めて不思議なことをやってのける。さらに生命は進化する。これらのプロセスは安定的に進行する。これらのすべてのプロセスを自然は安定的に進行させている。この自然法則とは何か。

それぞれのプロセスの部分的な進行については、生命科学の分野で研究が行われ多くの成果が報告されている。しかし、すべてのプロセスを同時に説明する、科学はまだない。つまり生命とは何かという問いには答えられていない。また、生命の基本単位である細胞一つでさえその中で起きている現象の複雑さは驚異的で、人知の及ぶものではない。

宇宙論にしても、ビッグバンが有名であるが、何故あるときビッグバンが起きたのか、その前は何の世界であったのかの説明はできない。現在の宇宙にしても、その全質量や全エネルギーが現在知られている宇宙論の考えでは説明できないので、ダークマターやダークエネルギーなどと称して、そのギャップを埋めようとしている。科学は、かなり進歩したことは確かである。しかし自然は殆ど分かっていないことも確かである。

ここで研究者の個性や人間性が必要になるのである。殆ど分かっていないことにアタックするときには興味・想像力が必要であることはよく分かる。逆に殆ど分かっているテーマをさらに進めるためには、精度を高めた装置のための研究資金が必要であるが、興味や想像力は不要である。人間が、科学によって明らかにしてきたのは自然の本質のなかの一部であり、そのこと自体は客観性がある。しかしあくまで無限に存在する自然の一部であって、その選択は科学者の個性が行ったものであるから、別の選択も将来にわたって十分ありうるのだ。

第四節　科学技術と市場経済が主導する社会における我々の選択

4－1．科学技術社会

150年前に生存のために固有文化は一応無視して導入され、その影響を色濃く残している西洋科学と技術に囲まれた現代社会の中に、我々は暮らしている。産業革命の初期には、生活を便利にするものとして科学技術の進歩が望まれた。特に電磁気学はその中心として利用され、今なおその発展が多くの産業を支えている。人々もその利便性のためにその発展を享受している。

便利さというのは、本来ある目的を遂行するのに、時間と労力を倹約できることを言う。睡眠を除いて1日15時間程度の活動時間のうち本来の目的に使う時間はどの位だろうか。この問題は、本来の目的は何か、人とは何か、という疑問に直結する。目的と手段はそんなに簡単に分離できず、その混同が日常化し、手段が目的になりかねない。科学技術に取り囲まれた生活は現在及び将来において文化と呼ぶにふさわしい生き様をとり得るのか。では、どの程度便利さを追求する時間とどの程度ヒトの本来の目的を追求することが良いのか。人間本来の目的を取り戻すことは、人間復興そのものである。

一方では、ネットワークによって人類が得た恩恵は計り知れない。世界の片隅で起きたことがたちまち世界中に知れ渡る。テロは防げなくても、戦争はできなくなったと思いたい。

ネットワークのこの効果は、一方では「長期的な真実」の価値を低下させる。長期的な真実の価値が絶対的に下がるのではないが、短期的なコミュニケーションに割く時間が大きくなると、相対的に長期的真実を考える時間が減少し、その結果としての価値が相対的に減少する。

その両方のバランスを程よく享受できるか。テレビが普及しだしたころ『総白痴化』と批判された。ネットワークはかなり違う。一方的に放送するのではない。個人の主観に近い多人数のグループを短時間で形成できる。主観の共感は客観の形成でもある。

近年の世界の変化が急速に見えるのは、通信技術が政治にとっても企業にとっても自分たちの目的によく合うからである。しかし、経済活動で世界の覇権を争っている国々で起きている国際間協調路線の揺らぎは、今までの歴史では見られなかったことで、これもインターネットの産物である。1970 年代に電話回線を使ったメールが使えるようになり、平成に入って 1991 世界初の Website が公開された。1997 年 google 検索開始、2000 年頃小型携帯電話、2010 年頃からスマートフォン。種々の情報が時間を置かずに伝わるので、戦争を避けやすくなった。戦争は、工業先進国と発展途上国の間、宗教の違う集団の間などでの考えの違いに対して意見交換がないままにした結果であったが、その点が改良の方向に向かっている。また、ネットワークによって人の間の意思疎通が一見たやすくなった。政治家やインテリに考えを聞かされてばかりいた人たちが、違うのではないか？　と疑義を呈する集団を作りやすくなった。このこと自体は悪いことではない。しかし英国や米国で見られるように過去の価値観が簡単に否定されるようになっていく。これまで知識層が政治的情報を持っていて報道機関を通して大衆に政治経済の情報が伝達されていた。情報の垂直伝達方式であった。ところが、ネットワークが一般化して、情報の伝達が水平に行われることが可能になった。水平伝達が可能になっても情報発信者がいないとマクロな意見形成ができないが、中間層の没落によって、低所得層にも知識層の一部が含まれるようになったので、情報発信と意見形成が可能になった。これが現在の経済先進国で起きている政治の不安定化の現状である。

ネットにかかわる時間の多さは、個人の考えを深める時間を減らしている。お互いの考え、他のヒトの考えをいとも簡単に得ることができる利点は大きいが、自己の存在を弱めるかもしれない。AI にしてもネットワークにしても科学社会は画一化の傾向があるが、それに関係なくヒトの個性は生き残れるかという問題がある。ネットワークの功罪の議論は尽きない。まだ結論を出すのは早すぎる。

ヒトの生き様が変化すると、世代間にミスマッチが大きくなる。親子の間の意思疎通が難しくなり、教室の運営も難しさを加える。75 年前の世界大戦の直後にも、生き様に大きな変化があり、主として父親の大切に思って生きてきたことが戦後完全に否定されたので親子の間には隙間ができた。しかし、あの時は、思想的には違っても何とか食料を家族のために懸命に確保する父親の努力、命を掛けて戦った父親という人間性は理解できたように思える。今の父親はそれに比べると、価値観の変わった子供を教育する上でどんな人間性を示すことができるか。価値観の変化は、いつでも起きていたがこの 20 年ほどの間に起きた変化ほど大きな変化は歴史上初めてではないだろうか。

4－2．日本の近代化とその後

図 3 に示したわが国の産業活動・学術活動の推移は、明治維新以来の日本の歴史を考慮した定性的な議論が役立つ。この図は、縦軸が産業活動・学術活動という極めて概念的な表現である。実線が日本、一点鎖線が中国、点線が米国である。幕末から始まっていた西洋科学の導入は、戊辰戦争後、新政府になって科学技術の水平輸入が勢いを増し、わが国はどんどん西洋化して行った。その結果産業活動や学術活動も急速に伸び、兵力もある程度西洋諸国並みになったとして、太平洋戦争を始めたことは第 2 節で述べた。その結果それまでに蓄積した活動は壊滅し、ゼロからの再出発になった（1945 年）。その後約 40 年間に急速な復興を成し遂げ、産業活動はバブル頂点のころ（1989 年）一時、米国を追い抜いたと

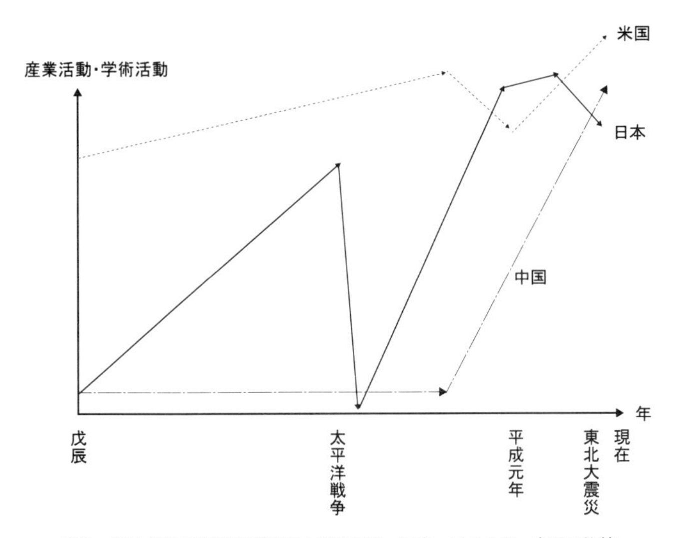

図３．戊辰 150 年間の産業活動と学術活動　日本、アメリカ、中国の比較

考えられる時期があった。一方、中国は毛沢東の文化大革命が終焉し、1978 年に鄧小平の改革開放路線が始まり、力を付けていった。バブルの崩壊後の日本は、米国の復活と中国の躍進の影響と 1995 年の神戸・淡路大震災 2011 年の東北大震災・福島原発大事故など相次ぐ災害の影響が加わって、下降路線を辿り始め、米国と中国の両国がわが国を尻目に生産活動、学術活動の両面で覇権を競っている。その結果、わが国の現在は上記の位置になっている。

図 4 は産業革命の真只中の 1776 年に出版されたアダム・スミス「富国論」に始まる市場経済論の要約である。太い矢印がその楽観的シナリオである。

科学技術の進歩 → 生産力の増大 → 輸出増大 → 富の増大 →
生活のゆとり増大 → 人口増大＋科学技術の進歩 →

18 世紀にはその傾向があったが、当時は、企業の数と規模が小さく、企業間の競争の問題はなかった。20 世紀後半から、企業が大規模化し、

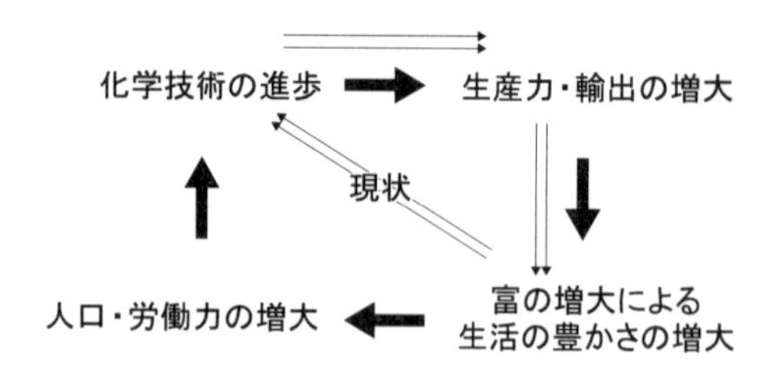

少子化は現在の経済文化優先状態では止められない。

図４．市場経済のシナリオと現状

企業間競争が激化し現実は細い矢印となり、出生率は１程度、技術先進国では軒並み激減した。中国もその政策により出生率は1に近いので、まもなく同じ傾向をたどる。フランスや北欧のように出生率を２に近くすることは可能であるが、そのための財政基盤が必要で、消費税は20%以上で20年以上の時間がかかる。技術先進国の多くは人口減少しているが、それを移住民によって補っている。アメリカ（メキシコ人＋中国人)、ドイツ（トルコ人)、フランス（アフリカ人)、イギリス（多国籍）など、シナリオの人口増加は移住民の受け入れであった。

市場経済を放置すると、出生率が低下する理由は以下のように考えられる。

本来の市場経済の楽観的シナリオとは異なった図の細い矢印の小子化路線をたどるのは、このシナリオが非人間的要素を含むからである。市場経済に内在する競争原理はある程度は必要であるが、競争の激化は歯止めが利かず、競争に勝つことが家族生活に優先する唯一の評価関数となってしまう。その結果技術先進国は軒並み出生率が低迷する。外国人の移住で補うというのも本末転倒の競争のためなので、移住者が幸せに生活できず、社会問題が頻発する。

4－3．わが国の現状と大震災で知った人間の目的

普通我々が目にするのは下記のような現在の指標である。

○国内総生産は3位

○研究論文（全米科学財団による）は2016年の論文数世界ランキングで6位。（論文総数が減少傾向にある国は日本だけ）

○消費税率1位はハンガリーの27%。日本は安いほうから6位。

○「生活満足度ランキング」（経済協力開発機構による）は58位/156（判定基準；GDP/人口、社会支援度、健康寿命、人生選択の自由、男女の平等性、社会の腐敗度）

○政府債務残高；GDP比世界1位236%。

これらに加えて、わが国は、少子高齢化が最も深刻である。これらの事実は、バブルのころの日本の勢いを知る人たちにとって十分満足できるものではない。しかし、これらは前述のように明治維新の「うねり」の結果と中国の台頭の結果であって、それぞれの項目に対策を練ることも必要であるが、無目的に右往左往するよりも、我々が何を求めているかを考え、そちらの方向で努力し、その結果としての順位を受け止めるのが最善と考える。

最近、アメリカの経済学者ステファニー・ケルトンによって提唱されたといわれているMMT（現代貨幣理論）によると、政府は税収に制約される必要はなく、任意の自国通貨建て国債発行により財政支出量を調整することで、望ましいインフレレベルを目指す経済政策を行うことができるという。こうした考えを理論的主柱とする経済理論であるが、大きな過ちを犯している。政府年度予算作成時に、税収を大幅に超える予算を作成すれば、社会は、働かなくても楽な生活ができるというアメリカの価値観に一端を表現していて、モラルハザードを起こし、国が崩壊することが目に見えている。

今、震災から9年を経過して、復興の現状を考えると、現時点で被災地が直面している問題は山積している一方で、これからの身の振り方に苦悩する被災者には、被災地の将来の姿がイメージできる必要性を強く

感じている。人間として大切なものを再び手に入れることを切望している。

一人の学生による報告は意味深い。3.11の直後、山形の実家に帰ったが、止むに止まれず車に水をいっぱい積んで被災地に向かい、破壊された家屋の住人たちのお手伝いを申し入れた。最初は口も聞ける状態ではなく、2日後にやっと少しは話しもしながら、2週間ほどの手伝いのあと、大学に戻ってきた一人の学生から「街の人たちを見て、違和感を感じる。」という報告をきいた。おそらく、彼は人間として大切にしていたものを懸命に捜し求めている人たちに長時間接して、被災していない人たちのそうではない姿が異常に見えたのだ。つまり、人には大切にしているものごとがあり、それが無くなったとき、初めてそのことに気がつくことを身をもって体験したのだ。

大切なものを失う体験はしたくないが、何が大切かを意識しないで単純な目標を追いかけて生きていくのも残念ではないか。人間本来の目的を取り戻すことは、人間復興そのものである。

4－4．もう一つの未来選択

科学・技術の進歩は人間社会に便利さを提供し、「生き様」の変化を急激にした。通信技術やAIの進歩は社会に多大な便宜を提供した。変化が急なので、場合によっては、その便利さが何のための便利さなのかを忘れがちになる。また、市場経済は、アダム・スミスのころの植民地時代には「見えざる手」が大英帝国を豊かにしたかもしれないが、人口減少とそれに伴う移民問題などの問題を生み出し、その英国自身が生み出した議会制民主主義さえもうまくいかなくなった。これからの未来社会においても科学・技術と市場経済は社会を主導していくと考えられる。だからこそ、両者が「人間不在」のまま進まないように我々は注意ぶかく見守り、場合によっては修正を加えていかなければならない。

第二節で、地域文化の例として東北地方の特徴を述べたが、シンポジウム『Pride & Happiness ～イタリアの地方創生から探る東北の未来』東北経済連合会主催（2016年8月）（参考資料12）のパネルディスカッションに参加したイタリア人ブルネロ・クチネリ氏と、東北文化をベースにこの現代社会に修正を加えて経営を行う東北地方の若手起業家の発言要旨を下記に示す。クチネリ氏は、イタリア中部の寒村のソロメオ村で人間主義的資本主義「企業は、利益を生み出す場としてだけでなく、人間の価値を高める場でもある。」を標榜し、短期間のうちに世界的なカシミアネットの会社を育て上げた。「3.11東日本大震災での被災者たちの生き様に感動して多くを学んだ、宮沢賢治を勉強している。」といっている。

「シンポジウム発言要旨」

御手洗氏（株式会社気仙沼ニッティング「メモリーズ」代表取締役社長）:新しいモノを作ったり、作ろうとしたりするときは「売ること」を考えがちだが、「売る努力」をする時点で、モノづくりの企業としては負けていると思う。とにかく「いいモノ」を作ることを考え続けるべき。商品が本当に良いものなら、お客様はいろんな方法でそれを見つけてくれる。「販路がない」という人が多いが、問題は「選ばれていない」こと。高くても、欲しくなるモノを作れば、消費者やバイヤーは見つけてくれる。

梶屋氏（株式会社セッショナブル代表取締役）：僕も、まずはモノについてとにかく考えた。「ほしくなるギター」ではなく、「ほしくてたまらないギター」について考えはじめ、職人や原料を突き詰め始めたら、すべて東北にたどり着いた。例えば、ギターを作る宮大工は岩手県の陸前高田市にいて、すぐれた金属は釜石に、それを削る技術は同じく岩手の花巻で見つかった。木材は、福島県の伊達市。そしてデザイナーは山形出身。結果、すべてを東北でまかなうギターが誕生した。こうして生み出した商品には、ものすごい説得力があると思う。

ブルネロ・クチネリ氏：モノ作りには、2つの道があると思う。まず1つは工業化され、どこでも売れる・売られる商品を作ること。そしてもう1つは、若干高くてもきちんと、わかる人が買い求める特別な商品を作ること。私は、職人に正当な見返りを支払うためにも、そして、地球の

図5．Brunello Cucinelli 氏

恵みを「消費」するのではなく「利用」して還元するためにも、後者を選んだ。今は、「消費」文明を考え直す時。人間の手で、田舎で生まれたモノにこそ関心を持とうとする人が増えている。手に入れたとき、気持ちが高揚するからだ。

２－３．で記した弓道の「的に当たることは目的ではなく結果である。大切なことは、心身を鍛えることである。」ことと、御手洗さんやクチネリ氏の「売ることを目的にするのは間違いである。良いものを作ることに専念すれば楽しい。結果として売れる。」ということが見事に一致していることはとても興味深く、日本文化を基底にした新しい未来選択の一つを示唆していると考える。

第五節　未来社会のあり方を考える次世代の人材は？

５－１．次世代の人材教育と日本の大学

私と同じ世代の人間は、明治以来 150 年の半分以上を生き、太平洋戦争や東日本大震災と福島原発事故を経験し、またコンピューターや通信手段が画期的に発達し生活が画期的に変化し、地球上の異常気象が始まった実感を持つ世代である。人間を中心とする地球上の生命社会が変動期を迎えている。何がどのように変化するか。その主要因は何か。長

期的にどのように対応すべきか、などの根本的な問題に対して、人類はできる限り知りたい。「それは知らなかった」と思うような事態になりたくない。変化の速度が速い次世代の人たちが、それに十分対応するために、教育機関はどうあるべきか？　大学も従来の大学ではその役割を果たせない。

前節までに記したのは、我々の世代が見てきた科学と人の生き様であるが、その中での重要な問題点をまとめると、

「1．人間にとって大事なもの」

1－1．人間にとって大切なものは、それが無くなったとき、初めて気がつくが、普段でも人間本来の目的を意識できる、人間復興が現代には必要である。

1－2．人が無意識のうちに大切にしているものは、その地での過去の自然災害の多さや、戦いの多さなどによって異なる。

1－3．一例としての東北人の生き様は、西洋的に近代化した日本が失った生き様を頑固に守っていて、未来の生き様の選択にヒントを与える。

「2．自然を理解すること」

2－1．自然は無限に複雑であって、科学が解明したことは有限である。つまり、自然は殆ど分かっていない。

2－2．科学は人間と無関係の客観的事実ではあるが、それを発見するのは人間の主観である。

2－3．水平輸入された西洋科学と西洋文化からの脱皮が、わが国の生き様と科学の更なる発展に必要である。

2－4．科学は論理的に理解するだけでは不十分で、人間として実感しない科学を振り回すのは、自然災害や人災にあって必死に生きようとする人たちに対して無責任である。

「3．科学・技術社会における人間」

3－1．人の生活を便利にする工学は、本来、人の確かな生き様を便利にするのであって、生き様と無関係な便利は本来の目的ではない。

3－2．科学に取り囲まれ、その科学がどんどん新しいことを付け加えていく時代に生きる社会人は、分かりやすい説明を求める基本的人権を持ち、科学を進める人たちは、説明責任を有する。このことに法的措置がとられ、社会人の常識にする必要がある。現在の日本国憲法第21条は知る権利を含むが、国家機密、企業機密などの理由により請求権が認められない場合が多い。危険性を知る権利も安全神話によってその真相が曲げられる。

これらの項目は、わが国の将来にとって大切なことで、大学が率先して教育や研究の場で学生・院生と教員の間で議論の場が増える方向に進むことが望ましい。次世代をになう若者と長期的な展望を持つ立場にいる教員が長期間を共有する組織は大学以外にないからである。しかるに、国立大学は未だに150年前の明治維新の水平輸入の過去を引きずっている。

繰り返し述べるが、「西洋の大学に追いつき追い越す」という150年前からの施策を引きずっているだけでは、昭和が終わってバブルが崩壊してからのわが国には通用しなくなった。それ以来、学術活動や産業活動が上向きにならないのは、その考えでは決して「追い越せない」からである。

国立大学は、国からの運営交付金を主として運営するので、大学の職員は“みなし公務員”であるが、20年前の法人化以前は完全公務員であった。つまり、国民の税金で運営している。にもかかわらず大学には自治があり、国家権力から独立しているとの主張があり、ある程度認められていた。現在はそのような議論はなく、法人化し運営交付金は政府による大学評価を入れて決定される。

法人化前の国立大学では構成委員は純粋の公務員であったにもかかわらず、大学の自治を主張できた。東大の例で言うと、濱尾新（第3代と第8代総長）は教授会の自治を確立、内田祥三（第14代総長）は、東大を連合国軍の総司令部としての接収を拒否、南原繁（第15代総長）は大日本帝国の衰亡は学問の自由が失われることから始まったと主張。矢内原忠雄（第16代総長は）満洲事変以後の日本の国家政策は根本的に誤っていると一貫して主張したことになっている。このようなことができたのは、当時は立派な人材がいたからという理由ではない。これも150年前の西洋文化の移入の際の大学たるものの存在が、西洋の大学が長い歴史を通して、社会の中で勝ち取ってきた地位であったからである。60年安保闘争や、70年の大学紛争において、日本の大学は徐々に、その地位が借り物であったことが明らかになったが、本質的な改革はできなかった。日本の国立大学はその組織の性質から、トップダウン改革はできない。行政から見ると何故できないのか分からず、しびれを切らして、行政のほうから制度改革を示唆してくる。大学院重点化、教養部廃止、法人化、文系批判、すべて行政からであり、大学から改革案を出したためしはない。

そこで、行政は、世界大学ランキング（参考資料12）などを参考にして、このままで創造的な研究成果が上がっていない、何とかしないといけないと考えて、資金配分の「選択と集中」策をとろうとする。これはうまくいかない。集中選択するには過去の業績を参考にするしかないが、既に業績を上げている研究に資金を投入しても過去の業績が増大するだけで、新しい創造的研究は生まれない。私がJSTのさきがけ研究の領域代表として研究者を応募者から採用選択を行ったときの経験では、ごく一般にいって、既に業績が多い人は伸び悩む。一方、業績数が少なく提案研究に不備が見えたりしてその時点では海のものとも山のものともいえない研究者のほうが独創的研究の伸び率が高い。これは研究そのものの本質にかかわることであり、選択と集中ではこの可能性を軽視する。プロジェクトの責任者は、応募研究者の個性と情熱を面接調査して、選択と集中の度合いを是正する努力が必要である。

国立大学は2003年、ついに法人化された。「国立大学法人法骨子」によれば、国立大学法人は、中期目標に基づき、中期計画を作成し、文部科学大臣の認可を受けなければならない。この法人化による大学の変質は、公務員であった当時の国立大学の社会的地位が、直輸入によって作られた夢であったことにもう一度気づかされた。法人化の際の学内の議論では、法人化により大学予算の使い方はより自由になることが強調され、中期計画や交付金に関する詳細な説明はなかった。つまり当時は大学運営が今のような状態になることは予想されなかった。現状は大学研究者の多くは、評価の対象である研究成果を上げるため研究資金の申請書と事後評価の対象となる報告書の作成に多くに時間を費やし、学生・院生との議論と研究を楽しむ時間が少ない。

私立大学の現状はさらに厳しい。国立大学と私立大学の大学数と学生数の比は共に約1対4、授業料は1対2、国からの補助金は10対1、担当授業数は1対4である。両方に経験を持つ方はご存知のことであるが、わが国の8割を占める私立大学の学生は、能力的には国立大学の学生と比べて差はない。私立大学生の家族の収入は国立大学の家族の収入に比して低いので、平均的に見て学生は勉強よりもアルバイトに熱心である。また私立大学の教員は公務員ではないため、政府からの大学への補助金は国立大学の約10分の1で極めて少ない。日本の私立大学は、米英の大学に私立大学に比して資産が約100分の1以下なので、経営策としては、学生数を如何に増やせるかにかかっている。私立大学の教員は、殆どの時間を教育に当てている。研究は週日には殆どできない。

大学当局が研究資金の不足を政府に訴えても、政府の賛同は得られない。今後も日本の税収は減少するので研究費の政策的増額はむずかしい。院生のモーティベーションが十分高くない理由は、アメリカの博士号取得者の給料は、そうでない人の約2倍のであるのに対して、日本の企業では、給料に博士号を持っていることが反映されない。その上に、院生たちは、教員の資金獲得に割く時間の多さをみて、研究者としての魅力を感じなくなっている心配がある。そのため、国立大学は、みなし公務員の社会の未来を託する人材の育成という重要な任務に問題が生じている。

5－2．国立大学の正当な評価軸と大学の世界ランキング

大学に責任を持つ文部科学省は、法人化によって各大学がどのように責任を果たしているかを知る手段として大学の国際的ランキング（参考資料 13）を気にしている。今流行の世界ランキングという評価は研究論文と評判とを主要素としている。それはそれとしてあっても良いが、別の評価軸を考える議論が必要である。そもそもアメリカの大学と日本の大学ではよって立つところが違う。アメリカのいわゆる“有名大学”は豊富な資金を抱えた私立大学である。たとえばハーバード大学は、約4兆円の資産を持つので（参考資料 14、米英の有名私立大学の財政)、年間5％の運用利回りだけで東京大学の年間費用（平成 28 年度の経常費用は2,240 億円）のほとんどをまかなえる。一方、日本の国立大学は政府資金が主財源であるみなし公務員なので、役割が同じではない。

このような状況で国立大学の教員がみなし公務員として行政や社会から期待され、また日本の私立大学は、資産が少ないので研究する時間が少なく、アメリカの有名私立大学とは異なることは明らかで、同じ基準でランキングを争うことには無理があり、わが国は、同じ立場にある国の間で新しい基準を作る努力が必要である。わが国の大学が、条件が悪いから評価基準を変えようというのではない。後述のように、西洋で作った評価基準に従うようでは、明治維新以来の「追いつけ精神」から脱皮できないし、追い越すことはありえない。

イギリスタイムズ社の THE ランキングがよく引用される。（参考資料 13)、評価項目の一番高い項目は論文の被引用数で、次はアンケートによる教育と研究の評判、国際性の順になっているが、当然のように見えるが実は、「世界大学ランキング」は世界グローバル化大学ランキングである。研究論文の引用件数が重要項目である。科学分野の論文は大抵英語

で書くが、引用数はその分野の研究者数に比例する。独創的な論文は引用数が少ない。文系の論文は、各国の言語で書くのが本来なので、論文数が同じでも、引用件数では英語圏研究者の論文が多いのは当たり前で、各国の文化が異なるのに、評価をこのような偏ったグローバル化によって押し付けるのは非常識である。教育面にしても、留学生の率を評価項目の１つにする。英米は確かに民族が交じり合って留学率は高い。英語での講義が何％あるか。これも文系教育には正しくない評価である。アンケートによる「評判」も言語的要素が反映する可能性があり、公平とはいえない。大学全体としてこれらの要素を集計するのがこのランキングであるので、英語圏グローバル化ランキングに他ならない。更に、このランキングと各大学の財政基盤の順位が妙に相関していることも、正しい大学評価になっていない証拠である。一節から二節に述べてきた、個別文化の重要性、人の個性の重要性が先にあってそれを認め合うのが真のグローバル化であるが、現在の大学ランキングには必ずしもそれが反映されていない。大学の評価にはもっと深い議論が必要である。グローバル化が正義であるかのような風潮があるが、その米英の社会では、グローバル化に反対する意見が過半数を占め、その代表が政権を担当していることはなんとも皮肉である。

最後に、みなし公務員である日本の国立大学には、わが国の文化を意識した国際的社会発信度、卒業生の国際社会での活躍度、わが国の文化を踏まえた教育の質なども問われるのは当然と考える。これも評価軸に必要である。嘗て、日本の大学が輸入品として与えられていた大学の地位を現実のものにしているかを評価する必要がある。

フランスの大学はすべて国立大学であるし、ドイツの大学には州立、公立が多い。これらの大学と比較して評価のあり方を議論するのが正しいと考える。

５－３．国立大学ができる改革例

国立大学が、優れた研究者のみならず、わが国の社会ひいては世界の問題の解決に意欲を燃やす人材を育成することが極めて重要な任務である。どのようにすれば、この責任を果たせるか。既に多くの人が気付いていることであるが、学部教育に専門教育を早めに導入することが推奨された時期があった。バブル崩壊前には、社会は学部卒業生、修士課程で専門知識をマスターすることが期待された。バブル崩壊後から現在に至るまで、この考えが国際的にうまくいかないことが明らかになってきた。大学生が早く専門家になると、人間的な幅を身につける時間が足りないこと。修士修了生では専門家のリーダーとしての役割を果たせないこと。つまり、明治維新以来の西洋を追いかけるには十分であった大学制度は、世界の情勢の変化に対応できなくなってきたといっても過言ではない。

少なくとも下記の三つの問題点を変えることによって改善されることは明らかなので、大学内部にそのような声が増えることを期待したい。

(1) 学部教育の見直し

東北大学には1年生向けの基礎ゼミという人気のプログラムがある。20人程度の学生がいろいろな学部から参加して、指導教員が示すテーマについて議論する。1年生は希望に満ちている。2年生は落胆が見え始める。これは日本の将来に大きなマイナスで、大学の責任として改善を考えなければ成らない。私の経験によると、1年生のアンケートでは「大学とは答えの無い問題を勉強するところ」というのが多い。これ自身がある答えになっているような気もするが、一応自発的な答えだとしよう。私が担当した基礎ゼミは、20人のクラスで、実に楽しかった。期間は半年であったが、2年間続けて担当できれば、その間で研究者として成長してしまいそうな若者が何人も見られた。またゲストスピーカーとして参加した基礎ゼミ「東日本大震災から復興へ—感じ、考え、議論する」では、学生たちは真剣に議論していたのが印象的だった。

大学に、このような基本的問題を議論する場が多くあって、その議論が継続する教育制度があれば、世の中の変化が如何に早くとも、対応できる人材が育つはずである。

(2) 大学院制度の見直し

大学院博士課程は、その名前からすると、博士号を取得する課程であるはずなのに、前期と後期に分けること自体が、論理的におかしいし、また前期で終了する院生が後期に進学する院生より多いということは、博士課程として成り立っていないことを示している。この矛盾を解決しないことと、社会からの博士号取得者根の評価が低いこと、院生のモーティベーションが十分高くないことは強く関係している。

理系では、学部課程での勉強不足を感じ（日本の大学生の授業以外の平均勉強時間は、アメリカ人学生の 10 分の 1 という。国立大学だけをとってもかなり少ない。）、多数が前期課程には進学するが、補足目的であるし厳しい試験はないので、モーティベーションは低く、前期で就職する数が多い。後期課程に進学する場合もバリアーは低く、博士号を取得しても社会からの評価は低いのでモーティベーションは低い。当然企業は高待遇で迎えない。バブル崩壊までは企業は修士号取得者を熱望した。そのため、博士課程が主として生み出すのが修士である矛盾に目を瞑っていた。しかし、世界的に見ると、中国が日本を追い抜いた原因にアメリカの大学院で博士号を取得して帰国した研究者の活躍がある。アメリカの大学院博士課程はモーティベーションが高いので、日本の修士や博士では対抗できない場合が多い。

そこで、理系大学院の修士課程を廃止し、博士課程のみとし、博士課程の入学試験を厳しくし、モーティベーションを含めレベルアップする決意がいまや不可欠である。大学院のシステム設計は大学に任されている部分がある。そうすれば、社会は博士課程のレベルの高さを知り、待遇を改善する。その結果、博士課程への進学率が増加する。また、文系では、大学院進学率が理系の約 10% と低い（参考資料 14）。この原因も理系と同じく、社会的評価と進学希望者の悪循環の結果と考えられる。

(3) 研究費獲得をめぐる教員の努力

研究者が研究費獲得のために昼夜書類を書いているという印象を学生・院生が持っている。平均的に言って、今の姿の教員に魅力を感じていない。研究者になることに疑問を持っている。教員は研究を楽しむ姿を学生・院生に示すことができれば優秀な後継研究者が増える。このことこそ国立大学の大きなひとつの責任である。誤解のないように付け加えなければならないことは、研究を楽しむとは、食事を楽しむとか旅行を楽しむなどとは違って、大変なことである。新しい発見や主張は、一般には長期間理解されないのが普通であるから、戦いと忍耐とそれを支える強い信念が必要である。

「自分の研究室の研究費を増額したい動機」から始めると、書類作成時間が増大する。そうすると研究室院生との接触時間が減少し、その評判が研究室院生が減少させる。研究者数の不足を研究費の増額でカバーするより手段がないことになる。この悪循環を断ち切るために、出発点を変える勇気が必要である。「研究室院生との接触時間の増大」から始めると、研究院生は増大する。研究者数で研究費をカバーできる部分は書類作成時間が減少する。さらに研究成果が増大し、ゆとりで研究室院生との接触時間が増す。

人類の近い未来を考えると、第4節に書いたように、科学・技術は進み方が速く、理系でもその分野の専門家しか分からないことが多い。文系の学生には急激に変わりつつある社会の生き様のなかで、その変化が人間の本質とどのような関係があるか、たとえば本節の冒頭の「重要項目」を議論し、科学・技術の側に人類代表として問いただすような人材を育成してほしい。原発問題など重要社会問題に対する文系の発言の少なさは、ヨーロッパの主要国での大学院文系の進学率に比して約20%である（参考資料14）ことと関係があるのではないだろうか。

おわりに

この章は、つまるところ、長い江戸時代の鎖国の後の急激な明治の西洋化が、わが国の生き様に作り出した“うねり”が過去に数々のミスマッチを引き起こしたことを分析し、今だに、続くその“うねり”が、現在我々が直面している数々の問題の原因になっていることを示した。その“うねり”を乗り越えるためには、科学が人の生き様に強く影響している現代と未来において、人間の本来の目的を見つめることの重要性を述べ、感じる科学の必要性と説明責任を論じた。人間が、科学によって明らかにしてきたのは自然の本質のなかの一部であり、そのこと自体は客観性がある。しかしあくまで無限に存在する自然の本質の一部であって、その選択は科学者の個性が行ったものであるから、別の選択も将来にわたって十分ありうるのだ。だから科学者は個性豊かな人間性が求められる。

地域文化の個性の強さをばねに明治維新のうねりを逆転することは、わが国全体の人間復興を招来し、わが国がリードする人間復興が、逆に機械文明と市場経済に疲弊しだした西洋社会の第二のルネッサンスのきっかけになることを願いたい。

【参考資料】

（1）「弓と禅」オイゲン・ヘリゲル（著），稲富 栄次郎 、上田 武（訳）、福村出版、1981
（2）「東北人物伝」－光と風と心と－勝股康行著（丸善、2010））
（3）「ある明治人の記録」会津人柴五郎の遺言（改版）、中公新書、2017/12/25）
（4）「明治維新の正体」（鈴木 荘一、新書版 新書－2019）
（5）「榎本武揚と明治維新－旧幕臣の描いた近代化」（黒瀧秀久、岩波書店 2017）
（6）「開陽丸沈没の謎」（開陽丸ノート百十一話、石橋藤雄（函館五島軒資料館））
（7）「近代日本の万能人・榎本武揚（1836 － 1908）」（榎本隆充、高成田享編、藤原書店、2008）
（8）ケネディ大統領就任演説（1961年）https://americancenterjapan.com/aboutusa/translations/2372/
（9）地震のエネルギーの大きさはいくらか？
奥行き50kmが80m圧縮されたとすると、その比 $80/50000 = 1.6 \times 10^{-3}$ の歪が生じる。
そのとき、プレートに生じる圧力（N/m^2）；
$= $弾性率（$N/m^2$）・歪$= 3 \times 10^{10}$（$N/m^2$）$\cdot 1.6 \times 10^{-3} = 4.8 \times 10^{7}$（$N/m^2$）.

である。ここで弾性率としてコンクリートの値3×10^{10}（N/m^2）を用いた。
また、プレートが蓄えるエネルギー（N・m）；

$= (1/2)$・圧力（N/m^2）・変位（m）・断面積（m^2）

$= (1/2) \cdot (4.8 \times 10^7) \cdot 80 \cdot (10^5 \times 2.5 \times 10^4)$（N・m）

$= 5 \times 10^{18}$（N・m、またはジュール）＝約$1 \cdot 10^{18}$カロリー。

この式の1行目の（1/2）の意味は、最初と最後の平均をとるためと考えてよい。

(10) 核エネルギーと炭素の燃焼エネルギー
　1）1個のウラン235原子核の分裂エネルギー3.2×10^{-11}ジュール
　2）1個の炭素12の燃焼エネルギー1.3×10^{-18}ジュール

(11) NHKドキュメンタリー「あの日の星空」
https://www.nhk.or.jp/docudocu/program/92919/2919847/index.html

(12) シンポジウム『Pride & Happiness ～イタリアの地方創生から探る東北の未来』
東北経済連合会主催（2016年8月）パネルディスカッション『Pride & Happiness ～イタリアの地方創生から探る東北の未来』要約
https://www.wwdjapan.com/articles/335717

(13) THE世界大学ランキング
https://www.timeshighereducation.com/world-university-rankings

(14) 大学資産 https://www.excite.co.jp/news/article/Toushin_4311/

(15) 我が国の大学・大学院の現状（文部科学省）
http://www.mext.go.jp/b_menu/shingi/chousa/koutou/46/siryo/__icsFiles/afieldfile/2011/08/09/1309212_11_1.pdf

第二章　現代社会の変貌

宮岡　礼子

はじめに

人文学書籍に原稿を書くのは初めての経験であり、諸先生方の教養には遠く及ばないこともあって、「人文学の要諦」というタイトルにどう取り組んで良いかいまだにわからない。いくつかの書籍やメディアの記事を参考に、ランダムに書き散らした後で、なんとかまとめようとしたが、世界の動きはあまりにも目まぐるしく、何をどう論じて良いか、苦労している。

2016年7月の教養教育院合同講義で、「ダイバーシティーとバリアフリーを目指して」の題目で講演し、その概要は2018年の広報誌「まなびの杜」にも少々書かせていただいた。今回もキーワードとして多様性をあげておくが、以前とは別の観点で、土台としては、訪中体験や、教養教育院での3年余の間に経験した特別セミナーや合同講義で扱ったテーマを中心に述べる。

第一節　多様性と社会

昨今、情報の流布に伴い、多様な世界を目にし、耳にする。多様性を認める社会は少数者を除外するといった弱者への偏見を防ぎ、また自由競争により社会の健全な発展を促す。男女格差、年齢格差、貧困格差、地域格差などによる差別はアンフェアである。一方、多様性を重視するあまり、個人の自由を偏重すれば、統制の取れた社会の実現はむずかしい。

世界の貧困格差をなくすことは、GDPの変化が指標になるであろう。すでに日本やヨーロッパのような人口減少が進んだ高齢化社会ではGDP

は減り始め、新興国では上昇がみられる。1993年一人当たりのGDPが世界2位であった日本は2017年25位である。現状ではアフリカ諸国などGDPが他の諸国の1割にも満たない国があるが、こうしたことが徐々に解消され、テロや移民の原因が取り除かれれば、国際社会の安定につながるであろう。

多様性と均一性、互いに相反するように思われるが、多様であることで、選択肢が増え、トータルとして均一化につながるのかもしれない。

情報社会になり、以前は想像もできなかった量の情報が手軽に手に入るようになった。他方、情報の垂れ流しは情報がないことと同じ、という指摘もあり、しかもその情報の真偽がまた問題である。学問においても、先駆者の仕事を全て網羅していては新しい研究は生まれない。我々は自分の興味や必要性から正しい情報を取捨選択し、独自の視点でそこから飛躍しなければならない。

第二節　中国と民主主義

【一党支配と民主主義】

1999年に初めて訪れて以来、現在まで20回以上訪中を行い、その発展を目の当たりにしてきた。大学関係者という限られた層との接触ではあるが、今年6月の訪問時、少し驚いたことがあった。

ある中国人研究者が、中国の社会体制について、一党独裁で政党間の争いがない体制は、理想的であるというのである。政治においてのみとはいえ、まさに多様性を認めない考え方である。確かに多くの党が乱立して、互いの足を引っ張りあい、国会の論議もまともにできない国よりは、こうした安定的な体制が好ましいかもしれない。また、いろいろな批判はあるにせよ、中国の科学技術の発展には目を見張るものがあり、人々の暮らしも個人レベルのみならず、公共施設等の美化という点でも21世紀になり、大きな進歩を見せている。北京の冬は厳しいが、室内の暖房は市が管理し、日本の住宅よりははるかに暖かい。他方、インターネットの規制は厳しく、特にGoogleが使えないことには不便を禁じ得ない。これらは全て13億余の国民を掌握する強力な国家体制があってのことであろう。個人的には親中派であり、ここで批判を述べるつもりはないが、かと言って全面的に一党支配を支持することもできない。

古代アテネの歴史家トゥキディデスは「民主主義は帝国を統治できない、なぜなら民主主義は移り気だから」と述べている。古代民主主義と現代の民主主義は異なるとはいえ、独裁政権の方がはるかに移り気であることは明らかであろう。独裁者が変われば、全てはひっくり返ってしまう。イギリスの金融ジャーナリストであるマーティン・ウルフ氏は「独裁体制と民主主義の大きな違いは、権力に対する抑制と均衡（チェック&バランス）のメカニズムの有無にある」と述べている。現代の社会主義諸国においては、このチェック機能が多少はあると考えたい。また、たとえ民主主義であれ、同一者による長期政権が続けば、同様の問題が起きるであろう。また、選挙に気を取られ、大所高所からの判断以前に、有権者向けのパフォーマンス戦略をとるような政治も問題である。「長征」をかかげた大国のゆとりに、民主国家が負けることもあるかもしれない。

【香港デモ】

2019年6月に、香港で中国本土への容疑者引き渡し条例に反対する若者のデモが熱を帯び、ついに香港当局は条例を延期、または廃止する方向に進んだ。6月16日には香港の人口の三分の一近くが参加する事態になったこの反対運動では、監視カメラやSNS情報で行動を把握されないよう、若者の間でテレグラムというアプリが使われ、地下鉄に乗るにも、通常のカードではなく、現金で切符を買うことで追跡を免れるなどの方策がとられた。中国全土には2億台という監視カメラが存在し、電子媒体を使うことによって個人の行動が事細かく把握され、こうした政治活動は厳に取り締まられるので、今回の反対派の行動には賢さと頼もしさを感じた。いかなる社会体制であろうとも、人間は常に過ちと戦い、どんなに困難な状況も、結果的には正しい方向に進んできたと言えるであろう。そうでなければ世界はとっくに滅びていたかもしれない。支配者は、常に正しいことは何かと考えていなければ、抹殺されるか、自滅するかの結末を迎える。

このところ、国が他国にあまり根拠のない要求を突き付けたり、またそれに報復したり、国内外においても、政争以前のけなしあいや、喧嘩腰の議論の吹っかけあいが目につく。以前日本はそれほど注目される国ではなかったが、最近は少々注目度も高まった以上、恥ずかしい対応はできない。今まで苦手とされていた外交にも傑出した人材が必要であろう。基礎的教養は言うに及ばず、国際性を養い、語学力を身につけ、科学技術にも明るく、…といった人材の育成が、真剣に論じられるべきである。

大学進学率が明治時代の３％から現在の50％を超える状況になったことは、ある意味平均的教育レベルは下がったことになる。大学人の平均レベルも同様である。末は博士か大臣か、と言われた当時の博士のレベルは今より高かったような気がする。日本人の大好きな平等論や、平均値で論じることを慎み、真のエリートを育ててトップを養い、それにより全体の水準を上げることが必須である。

【開発途上国】

再び中国の話である。私がもぐりこんでいる楽しい中国語の講義には、一休みの時間があって、中国の歌曲やYouTubeを見せてくれる。先日のYouTube「隔壁老王」はクラシック仕立ての歌曲で、日本で言えば「隣の芝生は青い」といった内容ではあるが、見終わった時点で、中国人の先生が胸を押さえて「重い」と言いながら目をうるませておられた。これは隣の家の息子がどんどん出世して帰郷すると親類全員が大歓迎するのに比べ、当家の息子は…といった内容である。オペラ仕立ての楽曲は身につまされる迫力で、当家の息子を煽り立て、次から次へとあれせよ、これせよ、ああなれ、こうなれ、といった家族の思いを一身に押し付け、隣と比較する話である。しかもこれは中国の現状をかなり体現した話なのである。

一人っ子政策中に生まれた多くの子供は、両親、両祖父母、親戚の期待を一身に背負って都会に行き、出世すれば良いがそうでなければ本当に辛い思いをする。中国内での競争は凄まじく、例えば研究者としても、ある年齢でこのファンドC、次はこのファンドB、そして次はAとどんどん上のファンドを取っていかなければ出世は打ち止め。意に沿わぬ大学で一生を過ごすことになる。しかもよくある話として、実力のみならず、人脈やコネがものを言う社会である。人口13億超の中で生き残るには、幼い時から学校+多くの習い事、塾に通い、ハイランクの学校から大学に進学し、さらに研鑽を積んでいくことが要求される。そして一歩を踏み外すことは、その後の一生に影響する。

一方成功者に関しては、はたまた格別の厚遇が待っている。日本の権力者など取るに足らない。大学関係でも教授の次に、長江学者（Changjiang Scholars）とよばれる傑出した地位、さらに頂上にはアカデミー院士への挑戦が待っている。我々から見れば十分立派な教授らがこの地位に挑戦している。しかもこれを獲得することは、本人のみならず、所属する大学の格につながる。日本ではどうか、と聞かれたので、そういう地位はノーベル賞級の人しかなれないので、普通の教授は気にもしない、と答えておいた。

こうしたことから、日本はなんと穏やかな国であろう、と考えてしまう。もちろん日本にも多くの問題があり、子供の貧困率の高さは想像以上との報道もあるし、どんなに良い論文を書いても給料は年功序列が基本である。しかし小さな島国でそこそこに暮らしていくのにそこまで心身すり減らすこともないし、一度の失敗が一生の傷になることも、通常はないように思う。発展途上にあり、人口が多く、格差が激しいという国は他にもたくさんあるであろうが、表面上の経済や科学技術ではなく、こうした人々の日々の生活や未来への思いにまで影響を及ぼす社会、これは深刻である。過渡期の現象ではあるかもしれないが、日本の歴史上、このような熾烈な時代があったかというと、もう少し穏やかであったような気がする。反面、日本はぬるま湯で、現在AIや、情報産業においてトップレベルから遅れを取り、これではならじとやっと気づき、慌てている状態である。世間は厳しいのである。

第三節　移民と差別、日本の現状

【移民の制限】

6月15日付の日経新聞に「多様性を生かす」の表題で次のようなことが書かれていた。米国はもともと移民の国であるが、特にアジア系の移民は向上心があり、世帯年収も米全体平均を4割近く上回っている。中国、インドからは人口に応じた多数の移民が訪れ、3位のフィリピン人も英語力に優れ、米国に溶け込みやすい。学歴も高く、企業役員、医師、弁護士その関連職などの専門職につくものが全体の50%を占めるという。また移民は帰国後も活躍が目立つ。にも関わらず、最近の米国は移民を締め出す方向に舵をきっている。これは多様性を否定するものであり、米国の今までの発展の基礎をくつがえすものである。等々。

移民といえば「難民」と混同されて、母国で生きていけない人々が豊かな国に流れ込んでその恩恵を受ける、というように捉えられがちである。日本は地理的要因もあり、また言葉のハンディもあるから、移民にとって魅力的な国かどうかはわからないが、最近では高度プロフェッショナル人材の受け入れに少し柔軟になってきた。以前、私が中国からPDを受け入れるに際しては、高度人材でありながら家族は6ヶ月以内しか滞在できないなどの縛りがあり、大変不都合であった。そうした縛りをなくして受け入れを増やし、経済発展に寄与してもらうことが重要であろう。これにより、差別につながる閉鎖性を鈍化し、優秀な人材を受け入れることで、日本人の間にも活を入れていくことになると思える。

【国際性】

諸外国には民族の違い、伝統の違い、歴史の違い、宗教の違い、家族制度の違い等々想像できない部分も多い。東北大学でもイスラム系の学生さんや、アフリカ系の学生さんを見かけることも多い。また日本人と区別のつかない韓国や中国からの学生さんもたくさんいる。しかしまだまだこうした学生さんは少数であり、日本人学生に完全に溶け込んでいるようには見えない。

最近のコンビニのレジは外国人がほとんどと言っても言い過ぎではない。以前はほとんど接することのなかったこのマイノリティー、こうした人々と接する機会が増えてきたことは、進歩であろう。大学やその周辺においても、外国人との交流がもっと自然なものになれば、日本の国際性も向上していくかもしれない。

令和になり、日本の象徴も国際化した。歴史の浅いアメリカが日本や英国皇室に敬意をはらうのはもっともである。従来日本にとって皇室は戦争に結びついたイメージが大きかったが、これからは、日本の伝統と文化を継承する土台としての役割が大きくなるであろう。国民も自虐性を捨て、伝統を守る立場から、文化としての皇室を理解していくこと、それと同時に他国の伝統を重んじる姿勢が必要であろう。

【様々な差別】

性差による差別の廃止、ワークライフバランスなどについては、少なくとも建前上は以前よりずっと理解が深まっている。オリパラブームで、障がい者を身近に感じる機会も増えている。LGBTという言葉も現れ、それを名乗るタレントが人気を博する状況などは進歩のひとつかもしれない。しかし現実問題として日本ではまだ同性婚はおろか、婚姻後に旧姓を使うことにすら、抵抗がある。戸籍制度や関連する諸問題をシンプルにしない限り、現状は変わらないであろう。

大学の中枢に属する女性と話していたら、日本ではどこへ行ってもまだ女性が行くと無視されるような場面が多いと聞いた。イギリスで、ニューヨーク生まれ、ニューヨーク育ちの日本人女子学生に会ったが、両親とも日本人であるにも関わらず、彼女は将来絶対日本には住みたくないと言っていた。理由は日本における驚くべき女性差別とのことである。国内にいては気づかない諸々のことも、外から見ていると堪え難い差別と感じられるらしい。実際OECD諸国において日本の女性活躍度は下から数える方が早い。

北京に単身赴任している日本人男性（東北大関係者ではない）と話していたら、一人暮らしで家事をすると、もう研究室に行って仕事をする余力がなくなる、と言っていた。女性はそんなことはずっと以前から毎日行なっている。しかも自分一人のためではなく、家族全員のために。個人を批判する気持ちは全くないが、日本人男性の意識はかなり低いと見た。

女性だけではなく、将来外国人がしかるべき地位について、国内で日本企業と渡り合う時、日本人ではないというだけで、通常の日本人が対峙するのとは異なる対応が返ってきそうである。こうした偏見が強いのは島国日本の特徴かもしれない。

【弱者への理解と共感】

年齢を重ね、若い時には想像もできなかった体の不具合が生じることにより、多くを学ぶことになりつつある。電車の優先席や、エスカレーター、エレベーター、手すりなどのありがたさを身にしみて感じている。また、向こうから歩いてくる人が自然に道を譲ってくれたり、バスやタクシーへの乗降をゆっくり見守ってくれる運転手さんには感謝を禁じ得ない。お店のレジで手間取っても、ゆっくりどうぞという店員さんには安心感を覚え、一方、イライラしながら待っている人々を見ると、申し訳ない気持ちでいっぱいになる。そして後者は取りもなおさず若い頃の自分の姿である。弱者への配慮は、自分が体験してみて初めて実感としてもつことができる。

高齢弱者になって人間にはふた通りのパターンがあることに気づいた。弱者を見て自然にいたわりの情を持つ人、弱者を見て自然に優越感を覚える人、その2種類である。時により同じ人物がどちらにもなり得るとも言えるが、やはり今まで長く生きてきて、人間には残念ながら性悪な人たちも存在することに気づく。それが資質なのか、育ちなのか、理性なのか、決めつけることはできないが、教育により改善できるならば努力しなければならない。多様性を考える時、やはり気持ちにゆとりをもち、他者を思いやる心、理解する努力をする人間に育てる教育が肝要であろう。

第四節　インターネット社会とAI

【ドラッカーから学ぶこと】

話は変わるが、基礎ゼミでドラッカーのマネジメント（エッセンシャル版）を読ませ、100年余り以前に生まれたこの著者が何を考えていたのか学ばせている。「企業は利益を求めるだけのものではない」とか、「顧客とは何か」、「イノベーションとは何か」、「知っていて害をなすな」といったことが事例に基づき記述されている。「知っていて害をなすな」とは、その悪影響がわかっていながら、廃棄物や環境汚染に目を背け、利益のみを追求する企業は滅びる、という意味である。学生には、文字面を追うのではなく、実際、企業のやっていることを具体的に調べるなどして、これらの意味を理解しなさいと言ってある。彼らはとても意欲的で、ユニクロやアマゾン、コカコーラのやってきたこと、また、名も無い中小企業の中から特筆すべき活動をしているものを探し出してきて発表するといった地についた学習をしてくれる。まだ一年生という時期に、いずれは考える就職へのヒントとして、こうしたことを学ぶことも、自分の生き方を決める上で重要であろう。

日本の企業主でも、成功しているのはここに書かれていることを自ずと体現している人たちであると思う。結局は「人間の幸福のために何をすべきか」との思いが彼らを動かしているのであり、会社を大きくするとか、利益を高めることは手段または結果であって目的ではない。今人々は何を求めているのか、それを実現するにはどうすればよいか、また働く過程において幸福感を感じるにはどのような職場であるべきか、製造業であれ、サービス業であれ、況してや一国の政策において、これを忘れては立ち行かないであろう。現在、起業を考えている若手がいたとする。とりあえずは目先の成功を目指し、必死であろうが、その過程でこうした大局的な視点を忘れると将来性はない。

【データ駆動型社会】

GAFAやHuaweiに対する風当たりなど、最近の国際情勢は予断を許さない。Google mailを使いはじめた頃、なぜ無料でこうした便利なツールを使うことができるのか不思議であった。Amazonにはprime会費は支払っているが、それ以上の便宜を享受している。IT機器はAppleのお世話になっている。Facebookを使う余裕はないが、GAFAのうち3社は私にとって実に有用である。他方、彼らが収集した情報はプラットフォームとなり、物流や消費の貴重なデータとして積み上げられている。中国の台頭でHuaweiが参入した途端、アメリカはこれを追い出しにかかっている。iPhoneの生産は中国でなされているので、中国からの輸入に関税をかけると自分で自分の首を締めることになるが、自国の機密を守るためにはそれも辞さない。

世界中の消費者が何らかの形でGAFAの恩恵を受けているこの状況を、ラナ・フォルーハー氏は、かつての鉄道が輸送を掌握することにより、経済を操作していたことと結びつけ、憂慮している（6月21日付日経）。つまり、アメリカで1900年代に鉄道が無煙石炭市場を席捲したためそれが高騰し、他の石炭会社は鉄道利用の輸送ができなくなったということである。そこで鉄道と、商取引をする企業との分離が必要と政府が立ち上がった。それがなければ鉄道会社が国を支配することになったかもしれないとのことである。今GAFAなどのプラットフォーマーと、商取引をするプロセスの一体化は、同様の懸念を生んでいる。巨大ITの規制を行わなければ、この巨大ITによるアメリカのみならず世界的政治支配がなされるかもしれない。仮想通貨リブラの台頭は金融においてもその危惧を大きくさせる。

【AI】

機械学習を通じてAIの役割が大きくなりつつある。Google翻訳はなぜか中国でも使える。何か言いたい時に、これを使えばその場で簡体字と音声で翻訳されることは大変ありがたい。ポケトークという通訳機もある。翻訳機能が出始めた頃に比べ、最近の発達には目を見張るものがある。こうした機能を活用することに関しては、誰も異議を唱えないであろう。

今問題となっているのは、本来人間が行なっていた作業が機械に取って代わられ、仕事がなくなり、失業者が増えるのではないかという危惧である。

洗濯や掃除を未だ機械を使わずに行なっている人は稀であろうが、洗濯機や掃除機が労働を奪ったと考える人もいない。いずれ、車も自動運転になれば、確かに運転手の仕事は無くなるかもしれないが、洗濯機や掃除機と同様に人間がそれを使いこなすことに意味が生じる。日々の売り上げの帳簿付けを手で行うことよりは、データを打ち込んで、必要な集計がその場でできることの方がありがたい。確定申告も自分で計算せずにできるようになって、とても楽である。医療においても、画像診断を機械学習で学んだ機械を使えば、熟練医を求めて大病院に行かずとも、病名がわかり、はたまた治療法や薬剤まで示唆されれば、多くの人々が救われるであろう。製造業においても、いちいち模型を作らずとも、シミュレーションにより作業が進めば経済的にも効果的であろう。サービス業においてもセルフレジの登場は、最初は少し不安ではあったが、今では当たり前になっている。日本ではスマホ決済はまださほど普及していないが、近い将来、小銭を持つことはなくなるであろう。銀行業務もネット取引で全て片付き、わざわざ銀行に出向いて、待ち時間を費やすこともない。通販は当たり前であるが、日常品についても、ネットスーパーのおかげで、年寄りも重たい買い物をせずにすむ。ドローンが普及すれば、もっと便利になるかもしれない。

さらにはレジも存在しないスーパーAmazon GOがシアトル他アメリカ

のいくつかの都市でスタートしている。ゲートでスマホをかざしてQRコードを読み取らせ、入店すれば、商品をバッグに放り込むだけで決済まで行われ、レジも店員も不在である。返品も自由である。奥にはフレッシュなサンドイッチを製造する人間はいるが、店内にはショッピングカートすらない。Amazon GOを体験することはものすごいインパクトだそうで、私も一度体験してみたいと思っている。

MITの言語学者ノーム・チョムスキー氏は、「コンピュータがチェスで人間のチャンピオンを破ったなど、ブルドーザーが重量挙げで優勝したのと同じことで興味がない」と無視を決め込んだ。人間の能力の一部を機械が超えることは歴史的にずっと起きていた話である。アルファ碁が人間をうちまかしたからといって、大騒ぎするには当たらない。

AIは10年に一度ブームになり、今はその4期目とのことである。コンピューター科学者のマービン・ミンスキー氏は研究者になるならAIをやれ、ビジネスマンになるならAIはやめろ、俺はもう4つの会社を潰した、と笑ったそうである。AIは潰れる、それがビジネスの鉄則だそうである。医者や専門家にとってのAIは有用である。一方「既存業務の効率化」だけのためにAIを利用する企業は淘汰され、自社のビジネスと本質的に統合できている新しいプレイヤーだけが生き残る。単純労働はAIに置き換えられるが、そうした作業を行うことだけで企業として成り立つかどうかは甚だ疑問である。

日本のように今後の労働力不足が見込まれる国において、AIはむしろ大きな助けになるといえよう。ルーティンな仕事はAIに任せ、人間はより高度なタスクを担う。エントリーシートを評価して順序づけるのはAIの仕事であっても、面接で総合的な可能性を秘めた人材を見出すことは、人間にしかできない。ただし、高度なタスクのためには技能の教育訓練等を要するし、高齢者など適応できない層に対する新たなケアも必要になる。

【フィルターバブル問題】

検索を行うときに現れる情報に、検索者ごとにフィルターがかかり、その検索者の嗜好にそうものが優先的に表示されるという問題がある。Google 検索でも、同じ用語を異なる人が検索すると、トップに現れる情報が異なる場合がある。つまり、情報が平等に与えられず、検索者ごとにフィルターがかかるのがフィルターバブル問題である。知らず知らずに検索者は自分の蛸壺に入り込んでしまう。エコーチェンバー現象というのもあり、SNS で自分と似た考えの人とつながると、似た意見が跳ね返ってくるので、ますますその考えに固執してしまうということである。商品購入などについてはさほど問題ではないとしても、政治用語や軍事用語の検索などでこうした選別を続ければ、人々をあらぬ方向に誘導することも可能となる。中国で例えば「天安門」を検索すれば、天安門事件は決して現れないであろう。私は6月4日に北京にいたが、天安門事件のことは一切報道されなかった。プラットフォーマーになるということはこうした情報の管理が可能になるということである。

情報を垂れ流すことも、また情報にこうしたバイアスをかけることも、なんらかの方法で規制しなければ、いずれ大きな問題が発生するであろう。その管理は国が、または国際法規が行うのか、政治形態の異なる国々で統一することは難しいし、各国の思い、さらには財界の意図も関わり困難であろう。人類の幸せのために、情報をどう規制し、どう活用していくか、難しい問題である。マジョリティの幸福がマイノリティの幸福を阻害してはならず、一律の規則を当てはめることはむずかしい。ではどうすれば良いのか。科学技術の進歩に伴って次々浮上する新しい問題には、歴史がヒントを与えてくれるとも限らず、途方もなく難しいことに思える。

【人間の役割】

さて、それでは人間は一体何をすべきなのであろうか。

1．教育

2．管理

3．創造

少し考えると、このような役割が浮かぶ。もちろんここでもAIは手段としては使われるが、より本質的な部分で人間にしかできないことがある。

どの時代であれ、教育は最も重要な課題である。人類が積み重ねてきた歴史を礎に、現在に生きる能力を養い、次世代に引き継いでいく、これは本質的に、人間がやるべきことである。

そして管理。機械を使うのは人間で、その管理は人間が行う。また、政治、経済、福祉、などは、機械でできることではない。人間が適材適所で能力を発揮すべきものである。

最後に創造について。理論、技術、芸術、こうしたものを創造するのが人間の役割であることは間違いない。たとえ機械が絵画や小説をひねり出したとしても、それを創造といえるであろうか。創造は人間の能力の一部ではなく、全てを使ってできることなのではないか。

ミンスキー氏は「科学の叡智はいつも個人知能によってもたらされた」と言っている。ニュートン、フォン・ノイマン、チューリング、アインシュタインといった天才が科学を飛躍的に発展させた。数学においてもフェルマの問題やポアンカレ予想といった世紀の大問題は、個人により解決されている。そう考えると、いかに機械学習が発達しようが、人間の能力とは絶対的格差があると言わざるを得ない。機械学習はあくまでも過去の事象の積み重ね、それに基づいた統計処理が基本である。他方人間の能力は神のみぞ知る、DNAの無数の組み合わせによりとんでもない天才が出現し、過去の事実に頼っていては解決できない難題を、解決してしまう。そう考えると人類の未来はとても明るい。

【ニューラルネットワーク】

レイ・カーツワイル氏はシンギュラリティに初めて言及した未来学者である。2045年のシンギュラリティを見定めるべく、毎日サプリ200錠以上飲んでいるという変人である。指数関数的に伸びるコンピューターは、その能力を増すと同時に小型化され、人間の血液や脳内に配備されることにより、遠くの人物の考えを把握できたり、能力を高めたりできるようになると宣言する。これにより、人類は前頭葉を獲得した当時の画期的進化と同じレベルの進化を遂げ、今の人類からは想像もできない別の生き物になる。3段階を経て、有機的ではないデバイスが全ての病気を治療し、寿命が半永久的になると述べている。ただ、この予言をきいて、人類の未来に明るさを感じる人はあまりいないような気がする。

6月17日付の日経新聞には「AI、脳により近く」という記事と、「ミニ臓器体内で機能」という記事が並んで載っている。上に述べた統計処理に基づくAIではなく、ニューラルネットワークを手本とした新しい深層学習が「脳により近く」の意味である。新型AIは学んだ内容を出力側だけにフィードバックさせることにより、全体にフィードバックするよりは効率の良いものとなる。また人間の脳が使うエネルギーは20Wで、コンピューター京の60万分の1とのことであるが、これは通常のAIが0と1を用いるデジタル型であるのに対し、脳内ではアナログ処理が行われているという決定的違いから起きる。東芝は既にアナログ処理ロボットの開発に取り組み、膨大な情報処理が可能でかつ低消費電力で稼働する脳の機能を真似た技術に挑んでいるという。

他方iPS細胞の登場により、臓器の元となる細胞を作り、組織の一部を作ることに成功しつつある。ミニ肝臓、ミニ腎臓をマウスに移植して、血管と組織がつながることを確認したということである。カーツワイル氏のミニコンピューターを体内に埋め込むよりは、こちらの方がしっくりする。有機物を無機媒体で補足するよりは、こうした有機物による移植が可能になれば、人造人間のような不気味さからは逃れられる気がする。

人類はまた途轍もない失敗をするものである。ナチスに例を取ればわかるであろう。現代のナチスも存在するかもしれない。民意を反映するはずの選挙で、とんでもない首長が登場したりもする。そうした一つの失敗が、下手すると人類の破滅を招く。現代のように、瞬時に情報が伝わる社会では、時間差なしに遠方の各所でテロが発生することもある。こうした過ちを食い止めるのも人類の知恵、正しい教育の下、政治経済を正しく管理し、人類を誤った方向に導かないようにしなければならない。一つスイッチが入れば全てのスイッチが入ってしまうような仕組みは防がねばならない。それこそが多様性であろう。

有機媒体ではなく、無機媒体による人類の延命は、下手をするとどこかで一斉に操られて間違いが起こりやすいように思える。情報をクラウドに委託することにより、我々は途方もなく多量の情報を持ち、随時アクセスできるようになった。しかしこの情報をどう扱い、どう処理するかはやはり人間の感性、情であり、その役割だけは確保しておきたい。

第五節　教育の現状と大学の役割

【教育】

教育は重要である。しかしいわゆる学校教育については、その存在意義は変わってくるであろう。我が数学の講義は、50年前の状況と何ら変わっていない。黒板いっぱいにチョークで書かれる定義や命題や定理とその証明、聴く方はそれを書き写し、講義後に何とか解読して理解し、演習問題を解いて知識を身につける。たとえその内容がpptに記され、ハンドアウトで渡されたとしても、理解するのは自分であり、その部分に何の変化も見られない。

他方、語学の授業はどうであろう。我々の時代からは想像もできない機器が取り入れられ、より実践的に楽しく、効率的になされている。辞書を引き引き単語帳を作り、往復の電車で丸暗記している学生の姿なぞ、最近は見かけることもない。スマホで耳から随時ネイティブの会話を聞くことができ、翻訳ソフトで何語にでも移行することができる。

他の講義についてはともあれ、東北大学においても、黒板にチョークという講義形態は数学以外ではあまりないらしく、かつては教室に必ずあった手洗いも今ではついていない（数学棟にはある）。どちらが良いかということではなく、時代の変化に応じて教育の形態が変わっていくということである。さらに様々な講義のネット配信も可能になり、全世界でハーバードの講義が無料で見られたり、タレント教授の話に耳を傾けたりできる時代である。小学生の時代からタブレットに慣れ親しみ、ノートに鉛筆などという七つ道具もきっと廃れていくのであろう。

京大総長の山極寿一氏は6月27日付日経新聞において、現代では密室にいても基本情報は手に入るという意味で、大学は知識を手にいれる学びの場ではなくなったと述べている。「わかること」が学びではなく、「わからない」ということを「知る」ことが学びであるとも述べる。人間の脳は意識と知能でできていて、AIは知能の部分を外部化するが、意識の部分はデータ化できない。データ社会で意識の部分が置き去りにされ、知能至上主義に陥ることは危ういと唱える。違う人間のことをわかろうとするのではなく、違うことを前提に自分一人でできないことを一緒に作り上げていく社会を学ばねばならないと語っている。

こうした中での学校の役割はと言えば、やはり人と人との繋がり、多様性の認識、自己を制御して他者を尊重することの訓練、ルールに従って行動することの大切さ、などを学ぶことであり、知識の取得という役割は以前より薄れていく。社会性を身につけることが教育の要となり、成人した時の管理者、創造者となるための礎になる訓練がなされることが重要なのではないか。

イギリスの数理物理学者フリーマン・ダイソン氏は、ほとんどの知識を学校ではなく博物館で得たと言っている。100年近く前のことであるが、こうした学びが天才的な科学者を生んでいる。少なくとも高等教育以前の学校で学ぶことは、15歳くらいまでに自然と身につく知識であるとも言える。知識の底上げ、均一化は無論重要であるが、学校で起きているいじめや差別を考えると、学校では知識よりもっと大切なことを学ぶべきではないかという気もしてくる。

同じダイソン氏であるが、気候変動については懐疑的である。二酸化炭素は必要であり、気温などのデータには微小な変動に対して誤差が大きく、データ収集にかかる経費には無駄も多い。気候科学は一種の宗教だとも述べている。博物館で学んだ天才は、人生における大切なことを学び忘れている可能性がある。

【生涯教育】

最近は生涯教育、つまり、勤労者、もしくは退職者などの成人も含めての教育も話題となっている。時代の進歩についていくためにも、また新たな職に就くため、さらには純粋に学びたいという意欲を満たすためにも成人に向けた教育が必要である。実際18歳人口は減少し、2000年初めに大学院大学を拡充したにもかかわらず、大学院、特に博士課程に進学する人々の数は減少している。博士課程については、その充足度が常に問題であり、このままでは大学院や教員の縮小に至る懸念も大きい。そこで、留学生、シニアや転職者のニーズに応えるべく、大学は門戸を開き、既履修者へも学部、あるいは大学院での教育への受け入れを図ろうとしている。一方40年前に論じられた女子大生亡国論のように、せっかくの教育が社会に活かされないという危惧はどうか。しかし、こうして学んだ知識や教養はたとえ家庭に入ろうと、また悠々自適の生活を送ろうと、なんらかの形で次世代に引き継がれていく。教育は両親、あるいは祖父母、年長者により深められる。彼らが深い知識や教養、倫理観を持てば、次世代への伝達においてなんらかの意味が見出されるであろう。

【国立大学の今後】

現在、国立大学は教育型、研究型、地域貢献型と大きく分類され、その色合いは変化している。また私立大学の役割も国際化への寄与など重要なものがある。若年層のみならず、生涯教育を行うというスタンスで、教育制度の見直しが必要になってくるであろう。

少し古いが、国立大学協会から2015年に発表された「国立大学の将来ビジョンに関するアクションプラン」から抜粋する。

国内的には、特に社会人学生の受け入れは、我が国の大学全体で２％以下であり、OECD 諸国の平均 22%に比べて著しく低い。また、国立大学の学生数における女性の比率は学部で 37%、大学院では 30%以下であり、工学分野では学部でも 12%にとどまる。さらに、最近の高大接続システム改革の議論の中でも、大学が多様な背景を持った学生を受け入れることの重要性が指摘されている。

外国人留学生数については、国立大学では現在約 38000 人、全学生数の６% 程度であり、欧米諸国に比較して人数・比率の両面で低い状況にある。OECD の予測では、世界の留学生数は 2012 年の 450 万人から 2025 年には 800 万人に拡大するとされており、グローバル社会において国立大学は一段と積極的な役割を果たしていく必要がある。

このように多様な学生を受け入れるためには、入学者選抜や教育プログラムの改革をはじめとして受入環境を十分に整備する必要があることは言うまでもない。

今、東北大学のような地方大学においては、優秀な学生の確保が問題となっている。トップの学生が中央に集中することには切磋琢磨という意味があるが、そもそも大学進学率が頭打ちであるとか、地元に残る人材が少ないという現実は大学にとり致命的である。いかに魅力ある大学を持続し、発展させるか。既に優秀な留学生は世界中で奪い合いであり、日本語という特殊言語をある程度学ばざるを得ない日本が、その競争に勝ち抜くことは容易でない。より国際性があり、英語が敷衍しているシンガポールや香港の大学が魅力的なことは否めない。すると日本としては、やはり最先端の科学技術研究で惹きつける他はないようにも思う。さらには先日の論文被引用数で日本一に輝いた OIST（沖縄科学技術大学院）のように、はじめから教員も学生も国際化し、大学内では公用語が英語という環境を整備しなければ、諸外国との戦いに勝ち目はない。

会話能力であるが、10年以上前に北京大学を訪問した際、構内を歩くと、至る所で学生が大声で英語のスピーキングの練習をしていた。カフェに入るとマンツーマンで英語を学習している学生の姿もあった。日本の大学でこんな学生の姿を見かけることはついぞないのだが。今や中国人の英会話能力は高校生レベルでも大したものとなっている。

日本には歴史も伝統もある、そして素早く近代化が成功した優秀な国家である。しかし今後それを維持していくためには、常に目を外に向け、英語くらいは自由に話さなければならない。欧米に行くと、東洋人であろうが、黒人であろうが地域社会に溶け込み、受け入れ側も全く意識していない。道を尋ねたりされることもしばしばで、彼らにとって他国人、自国人の別はあまりないように思える。これに比べると、国内の日本人はバリアが高い。

【物理と数学】

ここで少し自分の分野に関係する話をしよう。

物理と数学は車の両輪である。

人類が興味を持つ大きな話題として宇宙論がある。これも物理、数学の両方から研究が進んでいる。数学で有名なのはひも理論で、今まで小さな粒子が宇宙の基本単位であったのを、ひも（粒子は0次元、ひもは1次元）に置き換えると色々な説明がうまくいくというものである。他方、物理学者は理論については必ずその検証を実験という形で要求する。ひも理論は実験での検証はなされていないし、その可能性もないかもしれない。物理学においては、こうした深遠な理論を巨大な実験により検証しようとするから、莫大な経費と人材が必要となる。理論数学は通常実験を行わないから、研究費は他の実験分野より二桁くらい低く、またラボを形成する人材もさほど必要ではなく、場合によっては数十年間一つの問題を単独で考え抜いて解決するといったことも起きる。

別の観点から見ると、数学で大きな定理が証明されることが、人類の幸せに繋がるのかという疑問も起きる。お金のかからない変人の趣味と言われても仕方ない。そこでといって良いかどうかわからないが、最近は「数学が役に立つ」ことを示そうという試みも始まっている。科学技術振興機構は2007年に「数学」の2文字を入れた領域を初めて立ち上げ、現在に至っている。多くの若手研究者がこのプロジェクトに応募し、熾烈な競争を経て資金をゲットしている。純粋数学から応用数学に至る幅広い研究が行われ、特許を含む大きな成果が得られた。分野としては、医療、金融、材料科学、暗号、画像認識、生命、渋滞学、乱流、情報科学、気象、言語学などなど枚挙にいとまがない。つまりあらゆる分野で数学の果たす役割が期待され、主として若手はそんな期待に沿う形でこうしたプロジェクトに最低3年間とりくむのである。その後は継続したり、発展させたりで、大概の被採択者が昇進し、さらなる飛躍を遂げている。他方、旧帝大系の純粋理論数学者がこうした時流に目をそむけていることも事実である。そしてそれもある意味正しい。基礎学問においては、すぐに役に立つことはすぐに役に立たなくなることと認識されている。

三菱UFJの副社長である亀沢宏規氏[1]は東大数理で大学院まで行った数学出身者である。アカマイと共同で、あらゆる電子決済に使う高速通信の基盤を開発する中心人物と目されている。三菱UFJ銀行はすでにインターネットバンクに中心を移し、店舗縮小を始めているが、その背景にはこうしたITへの移行があり、論理的な指摘や意見を述べることのできる人材が経営陣の中でも必要となっている。数学理論においては個別の問題を普遍化、抽象化して解決することにより、汎用性のある事実につなげることができる。数学出身でこうした地位についていることは、そうした数学の発想が活かされるという意味でも注目すべきことである。フィールズ賞を受賞したフランスの数学者セドリック・ヴィラーニ氏[2]はマクロン政権の中枢として活躍している。中国においては、偉大な科学者の多くが政治に参加する。日本の政治家、経営者の中に、理工系の博士号を持つものが少ないことは、科学者にとっても、政治家にとっても大きな損失ではなかろうか。

【モルモット精神とチャレンジ精神】

元 Google 日本法人代表取締役社長 アレックス株式会社代表取締役社長兼 CEO の辻野 晃一郎氏は以前より次のようなことを述べている。

ソニーはかつて、人のやらないようなこと、トリニトロン、トランジスタラジオ、ウオークマン、プレイステーションなどの開発をしてきた。これらの成功をみて、他の会社が類似の製品を開発してソニーを凌駕してしまう。例えば、Apple の iPod、iPhone はそれにあたる。それでもソニーのように人がやらないことを先んじてやる「モルモット精神」は重要である。イノベーションを起こすためには、リスクをとらなければならないし、チャレンジ精神が要る。スティーブ・ジョブズも、Google のエリック・シュミットもソニーが大好きで、ソニーを絶賛していたとのことである。今の日本でこれに当たる企業は存在するのであろうか。

FRI & Associates の理事長清水知輝氏の言葉を引用させていただく。改良、改善ではなく、ビッグピクチャーを描くこと、これは、政治、行政、経済、企業、全てにおいて必要である。言いかえれば、ゴールを描くこと、といってもよいかもしれない。個々の改善や改良は無論必要であるが、実際従事する従業員にとり、それが究極なんのためなのか、それを描いてみせることがモチベーションにつながる。カイゼンからチャレンジ精神で第 2 幕へ進むこと、これが日本に課せられた課題であるという。

【MaaS：Mobility as a service】

カイゼンで有名なトヨタ自動車は、ハイブリッド車で一世を風靡していたが、電気自動車の台頭に備え、いち早くソフトバンクと提携するなどの次世代への対策に取り組んでいる。豊田章男社長は、5月18日、ボストン郊外のバブソン・カレッジの卒業式で、同校経営大学院の卒業生としてスピーチを行った。（https://www.babson.edu/about/news-events/babson-events/commencement/graduate-ceremony/remarks-by-akio-toyoda/）

このスピーチのすばらしさは、スピーチそのものとしてもであるが、豊田氏の過去、現在未来全てが凝縮し、その人柄、思想がにじみでていることである。自身が述べるように、3代目というのはあまり良い評価はされない、日本の老舗とよばれる企業の3代目で、芳しくない例も多い。トヨタは常にトップを走っている企業であるが、氏は最近でも社長として、あえて社員に「平和ボケの喝」を入れるなど、未来への発信を忘れていない。

ICTを駆使し、移動革命を起こす実験がすでに始まっている。MaaSとよばれるサービスとしてのモビリティは2015年にはEUで協会として設立されている。MaaSのサービスを提供するプラットフォームには、交通関連情報、地図関連情報、さらに予約、決済などの各種機能が必要である。

日本で国内のあらゆるクルマとつながるプラットフォームの構築を目指しているのが、ソフトバンクとトヨタが提携したモネテクノロジーである。様々な交通機関のデータを一つにまとめることから始め、移動の最適化を探索する。都市交通の便宜を図るにとどまらず、過疎地域のバスシステムを開発して、高齢者の移動にも寄与する。CASE（Connected、Autonomous、Shared & Services、Electric）とよばれる自動車企業の動向は、MaaSとともに、未来の交通システムへの取り組みの総称である。

中国は広大であり、有線機器による通信網の発達前に、衛星機器を用いた無線のスマホが普及してしまった。大気汚染を防ぐため、現在北京で車を購入するためにはまずナンバープレートの番号を抽選で引き当てることが必須で、これは数年待ちか待っても無駄という状況である。一方、電気自動車ならばより短期間に手に入れられるとのことで、私もある若手研究者が最近手に入れた電気自動車に乗せてもらったが、非常に快適であった。反大気汚染→電気自動車の導入という道筋は、排気ガス規制を通り越して、世界の自動車産業もダイレクトにこれを目指さざるを得なくしている。

欧米や日本のように、すでにインフラが整っている国々に比べ、新興諸国の方がこうした取り組みには敏感であり、素早く取り込んでしまう。今や中国の大都市暮らしの方が、日本での暮らしよりもずっとIT化が進んでいる。

【日本の問題】

日本のIT教育は主要国の中で下から4番目と大変遅れている（6月20日付日経新聞）。デジタルネイティブはスマホを与えるだけでもある程度は育つが、やはりプログラミングや数学の基礎を叩き込んでおかないとどんどん世界から遅れを取っていくであろう。GoogleはDeepMind（アルファ碁を開発したイギリスのAI企業）を買収したのちに深化を遂げている。

日本にいるトップクラスのAI人材は世界の4％くらいで800人程度とのことである。政府は2019年6月14日にIT新戦略を閣議決定し、IT事業者を育成することにやっと本腰を入れ始めた。

（https://www.kantei.go.jp/jp/singi/it2/kettei/pdf/20190614/siryou1.pdf）

次世代のIT人材の育成においては中高のいわゆる受験勉強の中身も、また教育のあり方も変えていかねばならない。東北大学では2020年度よりAI教育を入学者全員に課することになった（2019年7月18日報道）。

【日本の弱みと強み】

深層学習を行うことは必須である。しかしビッグデータがなければ、深層学習には届かない。たとえバイアスのかかったデータを提供するフィルターバブルや、そうした情報から出るブラックボックスのAIでも、その解答を持つか持たないかでは大きな差が現れる。こうしたデータを持つことの優位性を知っているアリババやテンセントといった企業はそのためにデータを集めている。

日本にはメガプラットフォーマーが存在しないので、データ取得ですでに遅れている。また企業は、お金がないから人材の採用、教育ができない、人が育たないと、たとえデータがあっても戦略が練れないという負のスパイラルに陥る。デジタルマーケティングの世界ではAIは10年以上前から使われているが、AIリテラシーの高くない会社はAIの活用以前の段階で時間を取られ、AI活用が遅れる。

日本の企業は8割が中小企業。そのデジタル化をどうするか。簡単な一つの方法としてホームページの英語化が提案される。逆に言えば日本ではまだそれすらできていないということである。もし英語発信で情報を流せば、検索にかかり、世界中からの需要を引き起こすことになるかもしれない。

日本は今後人口が1億を下回り推移する。世界人口は現在70数億。国内向けの起業を行なっていては、世界に広がる可能性は低い。ましてや日本語という特殊言語で通用するはずはない。中国は13億。たとえ国内向けの起業でも世界の6分の1のマーケットが広がっている。

一つの提案として、日本の「強み」は高齢化が他より早く進んでいることであるから、高齢化にむけて「人に優しいプラットフォーム」を構築し、世界に発信すればやがて世界が注目せざるを得ない時代が来るであろうとBSプライムニュースで述べていた。また、日本は国民皆保険制度のため、信頼できる医療データがある。この活用は将来有効であろうとのことである。

ソフトバンクの孫 正義氏は、現在のサラリーマン経営者は、こうした日本の強みを見つけてチャレンジ精神で進むこともなく、ビジョンや戦略がない、と述べている（7月28日日経)。「情報革命で人々を幸せにすること」を理念として、「すべての産業をAIが再定義する」というビジョンで、AI投資に10兆円規模で専念するという孫氏の今後に注目すべきであろう。

おわりに

ここまで、脈絡なく多くのことを述べてきた。そろそろ結論と思っていたところ、7月28日の日経新聞に「AIが変える人文学研究」という記事が載っていた。歴史研究において、データに基づく新たな研究手法が示せたとのことである。単なる一例だが、従来は宗教的信仰の推移が社会的複雑性を生むというのが通説であったが、この手法での研究により、社会的複雑性が宗教的信仰の推移に先行するという結論になったとのことである。最近、デジタル・ヒューマニティーズという新しい人文学が新分野として世界的に活発になり、日本でも 2017 年に「人文学オープンデータ共同利用センター」が新設され、デジタル技術を使って文学や歴史学を研究する機運が高まっているとのことである。

このように、科学技術のみならず、人文学においても、デジタル技術は必須のものとなりつつある。人文学をどう研究するかという方法論ではなく、文理融合、互いに他を補い合い、理解を深めていくことが世界の一層の発展につながるであろう。

教育現場にいるものとしては、今後、こうしためまぐるしい社会の変動に敏感であり、その中で忘れてはならない、人類の幸せを目指すという根本思想を若者に伝えていかなければと思う。また「出る杭は打たれる」教育ではなく、「真のエリートを育てる」教育を意識したい。熾烈な競争社会を目指す意図はないが、ゆとりを重んじた一時の教育はすでに破綻した。学校での「知識の習得」の役割が減少するにせよ、能力ある若者が知識のお預けを食らうこともあってはならない。教育の「目減り」があるとすれば、それは嘆かわしいことである。一律に縛りを入れる教育ではなく、どんどん先取りする教育、しかも協調ある社会を目指す教育を推奨したい。

青葉山で大学院生を指導していた時は、単に専門科目に集中していればよかった。教養教育院にきて、大学卒業後初めて、人文学や社会学に再会した。これは自分自身にとって難儀なことであり、大学人としてもっと早くするべきことであったとの反省もある。研究第一で、専門分野での成果をバリバリ出しているうちは良いが、シニアにはシニアの役割がある。その意味で、苦労はしたがこの原稿執筆の機会をいただき、ありがたく思っている。結論に至らず誠に申し訳ないが、ここまで読んでいただいた読者に感謝しつつ筆をおく。

【参考文献】

知の逆転：吉成真由美著、NHK 出版新書（2015）
人類の未来：吉成真由美著、NHK 出版新書（2017）

【註】

1　2020 年 4 月 1 日付で社長兼最高経営責任者（CEO）に昇格予定。
2　2020 年 3 月のパリ市長選にうってでるとか。

【その他】

日経新聞 (2019 年 6~7 月)
本文で言及しなかった BS プライムニュースでの発言者：
　平井卓也　ＩＴ政策担当相 自由民主党衆議院議員
　西和彦　元米国マイクロソフト社副社長 東京大学大学院工学系研究科 IoT メディアラボラトリー　ディレクター　学校法人須磨学園　学園長

第三章　AIと教養教育

山口　隆美

人文学の要諦とAI

大学で講じられる諸科学を、大きく分類する用語として、文科系と理科系という言葉がある。そのいずれも広大な関心領域をもち、その境界は必ずしも自明ではない。筆者は、最終的には機械工学・医工学を専攻したので、理科系の一員である。しかし、本来の専攻を定年退職後に、本叢書を企画している東北大学教養教育院に所属することになり、いわゆる教養教育を担当することとなったため、理科系、文科系を問わない“教養”に関心をもち、そこを基礎として関連する専門分野についても横断的な興味をもつようになった。今回、叢書の一冊として、本書が編まれるにあたり、寄稿を依頼されたのは、このような経緯による。従って、文系の学問のうちでも、より、本来の文系的な領域である人文学について、何かを述べるのは甚だしく矩を越えた行為であることは自覚している。しかし、本稿で述べるように、現在、第3次のブームを迎えた人工知能AIは、すぐれて技術的な事柄でありながら、これまでの技術の発展とは異質な緊張を人文学を含む文系の学問に及ぼしているように考えられる。それは、結局、世に喧伝されるAIが、思考および判断という、これまで、人間によって独占されてきた行為を単に補助するのではなく、奪権しようとしているのではないかという危惧を人々が持ち始めているからであろう。ことここに至って、我々は、人間的であるとはいかなることかという問題を、自明のこととしてではなく、機械との対比において深刻に反省しなければならない羽目に陥っているのである。そこで、本稿では、直接“人文学の要諦”について議論するのではなく、その基礎を掘り崩しかねない勢いで世界に広がっているAI（と、それに関する思い込み）について、その技術的な基本構造、問題点を考え、それが、現代社会にもたらしつつある深刻な影響、そして、その結果、我々が、高等教育において、学生に獲得させるべき目標がどのような変化を必要としているのかについて議論する。あくまで、一工学徒の個人的な視点に基づく議論であるので、AI についても、また、人文学についても、極めて偏った知識と経験しか持ち合わせないことについては、あらかじめ大方のご了解を賜りたい。

はじめに

AI（Artificial Intelligence − 人工知能）が急速に技術的に進歩していることが社会的に大きな問題となっている。とくに、囲碁・将棋のようなゲームにおいては、人間のチャンピオンを足下にも寄せ付けない強さをもった AI システムが開発され、すでに人間を相手にしないという宣言がなされるまでになっている[1]。これが、限定した盤面のなかで戦われるゲームに限るものなのか、それとも、人間の能力一般に関わるものなのかは議論の余地があるとはいえ、これまで人類が想像上でしか出会わなかった事態であることは疑いがない。議論には色々な切り口が可能であり、実際、百家争鳴の状態をなしているが、大ざっぱには、図 1 に示すように、技術の進歩に関する軸と人間の能力に関する軸、あるいは社会的展望において楽観的と悲観的な見方を考えることが可能であるように思われる。

図の第 I 象限にあるのは、技術的、社会的に手放しに楽観的な説であり、カーツワイル[2]などに代表されるユートピア的シンギュラリティ待望論である。この論では、2045 年ごろまでには、いわゆる強い AI あるいは真の AI が開発されることにより、AI は、人間の限界を突破して、言うなれば神の領域にまで進化・発展し、宇宙に進出するというユートピアが描かれる。このような事態をシンギュラリティと呼ぶ。この傾向の論説は、そうなったときに、人間がどうなるかにはあまり関心がないことが多いようであるが、最善（見方によっては最悪）の予想では、人間は、そ

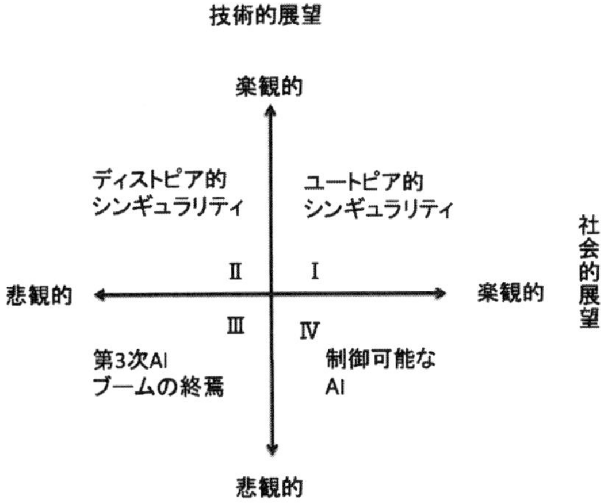

技術的展望

楽観的

ディストピア的
シンギュラリティ

ユートピア的
シンギュラリティ

社会的展望

Ⅱ
Ⅰ

悲観的

楽観的

Ⅲ
Ⅳ

第3次AI
ブームの終焉

制御可能な
AI

悲観的

図1　AIの技術的展望と考えられる社会的インパクト

技術的展望において、楽観的とは、いわゆる真のAI（強いAI）が出現可能であるという意味である。第Ⅰ象限と第Ⅱ象限では、いずれ、人智を超えるAIが出現して、人間の営為は無意味となるという意味では、いずれにせよ、ディストピアであるとも言える。第Ⅲ象限では、技術的には、そのようなものが達成されなかったとしても、社会的には、肯定的にも、否定的にも、非常に重大な影響が及ぶことが予想され、第Ⅳ象限の、制御可能なAIによる人間の手放しの福祉の向上はありそうにもない。

のユートピアで労働の必要もなく楽しく余暇（全生涯が余暇になる）を送ることになる。たとえて言えば、極楽浄土の蓮の華の上で終日微睡むイメージであろうか。

第Ⅱ象限は、技術的には楽観的で、社会的には悲観的な見方である。シンギュラリティは来るが、そこでは、AIは人間と無関係になるというよりは、むしろ敵対的になって、人間が存亡の危機に直面するであろうというものである[3]。映画「ターミネーター」[4]のシリーズでは、そう遠くない未来世界（西暦2029年）において、スカイネットというAIと人間たちが死闘を繰り広げるが、明らかに人間の分が悪い。人間は、暗い洞窟のような基地に押し込められて、機械軍の攻撃におびえながら生きている。

第Ⅲ象限の視点は、現在騒がれているAIも、所詮は、これまで10年おきに繰り返されてきた「人工知能」ブームの一つであり、早晩、技術的にも行き詰まるし、社会的にも一時的にセンセーショナルな騒ぎが起こっているだけであり、いずれ下火になるであろうという見方になる。これには、自分の生きている間はそうであって欲しい、と言う現在中年以降の多くの人々の願望も含まれるであろう。

第Ⅳ象限の見方は、現在、騒がれているAIというのは、技術的には早晩行き詰まる可能性が高いが、現在までに開発されたものだけでも、人類社会にもたらした、あるいは、今後もたらす影響は甚大であり、良きにつけ悪しきにつけ社会的なインパクトは大きいというものになる。その結果、現在の職業のうち、かなりの部分が機械に置換され、楽観的に言えば、少子化や人手不足は過去のものになるが、悲観的に言えば、人間すべてではないにせよ、職種と能力によって区別された人々が、職を失い、生存を否定されかねない状態になることもあり得るとされる。

もちろん、雨後の筍のごとく次から次へと発表・出版されるAI関連の情報の論考が、このような単純な図式にすべて落とし込むことができるものであるというわけではなく、それぞれに異なる視点から、上記のような悲観・楽観を取り混ぜてAIが人類社会にもたらす影響を議論していることは確かである。面白いことに、上記の第Ⅰ～第Ⅳ象限に落とし込まれる議論の論者のほとんどすべてが、では、我々人間はどう対処すべきかという問いに対して、広い意味での教養の重要性を挙げるという点である。AIを手放しに推進する立場である独立行政法人情報処理推進機構（IPA）が編集したAI白書[5]が、あれこれの技術的･社会的展望を羅列した最後に、「人間はリベラルアーツを身につけることになろう」と述べるのはその典型的な例になる。見方によっては、対処の方法が思いつかないので、困った時の神頼み的に、教養にすがるのだという皮肉も可能である。

本稿では、AIを技術的な意味で専門とするわけではないが、教師人生の最後の数年間を教養教育において過ごした「理科系」の研究者の立場から、このような問題を考えることにしたい。

第一節　AIの技術的概要

1.1　AIの歴史

AI（Artificial Intelligence）人工知能という考えは、ディジタル・コンピューターの開発とともにあったようである。人間をはるかに凌ぐ計算能力をもつ機械が発明されたときに、それが、計算だけではなく、人間のもつ知的能力のすべてを持つに至るであろうと想像することは、ある意味、自然だからである。第二次世界大戦中、英国ブレッチリー・パークの秘密の研究所に集められた数学者たちの一人であったアラン・チューリングが、ドイツの暗号エニグマを解読する機械を開発したときに、その未来に人工知能を夢見て、あらかじめ、その機械の能力を試験するためのテストであるチューリング・テストを考案したことはその一例である(勿論、事態の推移は、この順番で起こったわけではないが)[6]。

以後、1950年代から1960年代の第一次AIブーム、1970～1980年代の第二次AI（当時は、知識工学Knowledge Engineeringといった）ブームをへて、今日の、第3次ブームが引き起こされている。筆者は、第二次ブームのころから隣接する業界にいたので、いろいろ面白い思い出話もあるのだが、これらの詳細は、世のAI本に繰り返し正誤とりまぜて書かれているから省略する。本章では、現在のいわゆるAIブームで問題になっている人工知能の技術的な概要と限界についての考察を試みる。

現在の第3次AIブームをもたらしたのは、いわゆる深層学習（Deep Learning）技術である[789]。深層学習の基礎となるニューラルネットワークないしはパーセプトロンという概念は、最初の提案が、上述した1940年代のアラン・チューリングのものに遡るという古い技術である。ニューラルネットワークは、ヒトの脳における情報処理をモデル化したもので、神経細胞にシナプス結合をする神経のネットワークが、脳の機能的な本体であるという仮説に基づく。その後、飛躍的に進歩した脳科学の水準から見れば脳の機能モデルとしては極めて単純なものであり、脳機能の解明という観点からは全く不十分なものと言わざるを得ない。しかし、これを、適切なシステムに組み立てると、認識と判断、すなわち学習に類似した機能を実現できることが見いだされた。このようなシステムに、画期的な進歩を与えたのは、いわゆる逆向き誤差伝播法（Back Propagation）という手法で、ニューラルネットワークへの東京大学の甘利俊一が提案した適用法[10]を、1986年以降米国の研究者が再発見することにより一挙に普及したものとされる。

1.2　ニューラルネットワークの基本的技術

一般に、深層学習と呼ばれる処理では、多くの層からなるニューラルネットワーク（そのために、これを深層と呼ぶ）に、大量のデータを与えて、“学習”させ、何かを判別したり、識別したりする能力が生じることを期待する。通常は、データの前処理として主成分分析を施す。主成分分析とは、結局のところ、多次元のデータ（ベクトル）に、幾何学的に言えば回転・移動などの座標変換をさせることである。回転と移動をひとまとめにして行列で表現できるので、これは、つまり、行列とベクトルの積を求める計算になる。以下、ニューラルネットワークの計算というのは、実態としては、行列とベクトルの積を求めるもので、それに、図2に示したような、よく見る図式を当てはめるのは本質的ではない。ニューラルネットワークを説明するのに、この図式を用いるのは、いかにもニューロンが複雑な処理をしているかのごとき見かけを与えると、尤もらしく見えるという理由がすべてのようである。コンピュータの中に神経あるいはニューロンのネットワークが再現されて存在しているわけではないことに注意する必要がある。有り体に言って、すべては、行列とベクトルの乗算であって、入力、出力、隠れ層のベクトルが、いくつの要素（元）から成っているかが、AI本の解説に出てくる、ニューロンを示すという○印の意味なのである。つまり、○印の神経細胞にあたる実体はないのである。

行列とベクトルの積とは、行ベクトルと列ベクトルの内積を求めることであり、それを実現するための数値演算としては、いわゆる積和演算

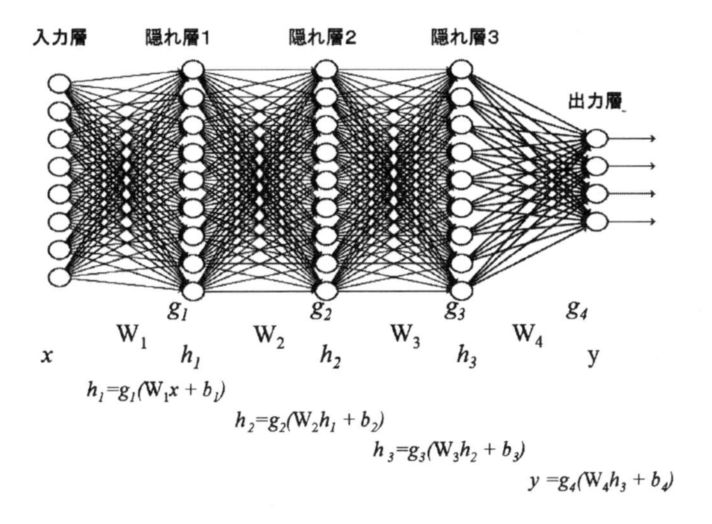

図２　ニューラルネットワークの図式的および数式的な表現

深層学習のニューラルネットワークでは、入力データのベクトル x に、重み行列 W を乗じ、その結果を非線形の活性化関数 g で処理することによって、隠れ層 h の結果を得るという手続きを、何層にもわたって繰り返すことによって、出力層の結果が、所望のデータとなるように、重み行列 W を変化させる。この重み行列 W の変化を、学習と呼ぶ。従って、ニューラルネットワークの説明で広く用いられているこの図のような図式は、あくまで説明のためのものであって、実際に行われていることは、図の下段に示した、ベクトルと行列の積の計算を逐次に行うことである。

（数値のかけ算をして、その結果を合計する演算）になることは、行列の初歩を思い出してもらいたい。余談であるが、世の中を騒がせている人工知能というものの本体が、行列を知っていれば、こういう簡単なものであることは、今後の AI に関する社会的なパニックあるいは恐怖症を克服するうえで極めて重要であると思うのだが、現行の高等学校の数学でも、そして、大学生の過半以上を占める、いわゆる文科系の学生の教養教育でも線形代数を学ばないのである。それはさておき、このようにして、求められたデータを表すベクトル（入力は x、途中の隠れ層では h）に、適当な重み関数（行列）W を乗じて、さらに、活性化関数と呼ぶ非線形の関数 g を作用させることにより、一段の計算が終わる。この結果を、次段のニューロン（ニューラルネットワークの用語としては隠れ層）

に入力として与え、これを逐次、層ごとに繰り返して、出力を求める。この段数が、何段もあることが、“深層”という言葉の意味である（場合によっては100 − 1000層)。最終的に得られた出力を、求める解（もし正解があるならそれ）と比較して、誤差を算出する。誤差が求まったら、一段前の重み行列を適当に僅かだけ変化させて（数学的に言えば偏微分して）この誤差が小さくなるかどうかを調べ（つまり、ニューラルネットワーク各段の関数を偏微分して最小化し）て、係数（重み）の行列Wを逆向きに（出力側から入力側へ向かって）調節することを繰り返す。この過程は、数学的には、パラメータを持つ微分可能な関数を最適化するという問題であって、これをニューラルネットワークでは“学習”すると呼ぶ。この過程で、どのようなデータと手法を用いるかが、研究者、あるいは、各企業がしのぎを削っているところである。

ここで、途中にでてきた各層（隠れ層）の計算において、入力のベクトルと重み行列の積に対して作用させた非線形の関数gを活性化関数と呼ぶ。実は、この活性化関数の導入が、深層学習の一つのエポックで、このことにより、深層学習が、あらゆる事象を近似する（学習する）ことができる能力を獲得したとされている（万能近似化定理)[11]。現在、もっとも多用されている活性化関数は、ReLU（Rectified Linear Unit）という関数で、これは、端的に言えば、前段の行列計算の結果のうち、符号が正の部分だけをとるというもので、全く理由はわからないが、他のものより良い学習能力を示すとされている。

1.3　ニューラルネットワークまたは深層学習の応用範囲

ところで、門外の読者には全く意味をなさないであろう原理の紹介を上記で試みたのには理由がある。それは、このような原理の紹介記事においては、必ずと言って良いほど末尾近くに断りが入っているように、上記の計算の主要部分は、すべて線形計算の範囲にあるからである。このような演算は、線形なのである。実際、上述した活性化関数がなければ、このようなネットワークをいくら多段化したとしても、行列が合成されただけであり、一段の線形ネットワークと等価である。ここで、線形というのは、ある方程式（系）があって、その変数相互の間には、定数倍と加算しかない（乗算がない）ものを言うのだが、残念ながら、我々をとりまく世界を記述している基礎方程式はそういうものではない。つまり、世界は本質的に非線形である。そこで、深層学習では、ニューラルネットワークを非常に複雑に（ノード＝元の個数を大きく、多段化＝深く）することによって、その非線形を乗り越えようとする。この試みが可能となったのは、コンピュータ技術の進歩、具体的にはGPUという素子の開発による。つまり、これまでのスーパーコンピュータでも何ヶ月という時間を要していた計算を数時間のオーダーの時間で実行できるようになったので、力尽くで大量の計算を試みることができるようになったからである。非線形性の問題については、後述する。

ここで注意したいのは、深層学習といっても、実際的に成功しているのは、世の中のAI脅威論の大騒ぎにもかかわらず、実は、画像の認識に関わるものが大部分（ほとんど全部）だということである[12]。もちろん、与えられた画像の認識（つまり、何が写っているのかを答えること）は、非常に難しい仕事であり、放射線診断医のように特定の領域で訓練された人間の専門家でも、完全な正答を得る（つまり、正答率100%を達成する）ことは実質的に不可能な問題ではある。これを、Googleなどが開発したシステムでは、99.8%の正答率で、しかも、一度学習が済めば、疲れを知らずに実行するのであるから、確かに人間の仕事から見れば脅威である。また、応用の方面によっては、十分以上に有能と言わざるを得ない。

しかし、もう一つ深層学習の問題点を挙げておけば、実は、魔法のように思われる深層学習といえども、極めて強い限界がある[13]。一言で言えば、深層学習は、学習した範囲を超える問題には全く無力である。簡単な例では、Googleが成功を収めたことで、一躍注目を浴びた、任意の画像から、ネコを切り出すシステムがある。ネコが写っていれば、ほぼ100%の正答率で、ネコがいることを認識できるが、そこに、たとえば、タコが写っていても、学習の際に、それを認識するべく訓練されなければ、認識できない。いわんや、きわめて多数の画像を使って多数の目標について学習させても、与えられた目標の対象以外のものを“発見”することはできない。もちろん、ネコを認識するシステムに、タコも認識するように学習させれば、ネコとタコを区別して認識するように訓練できるが、シャコを認識することはできない。つまり、あくまでも、与えられたフレーム（枠組み）のなかでしか、その魔法のような能力は発揮できないのである。これは、人工知能全般の問題としては、フレーム問題といって、簡単な解決は絶望視されている問題である。ヒトは、幼児であれ、何万例を用いて訓練しなくても、ワンワン（イヌ）とニャーニャー（ネコ）を簡単に区別することを覚える。それが何故なのかは、知能というものの本質に関わる問題であると考えられていて、解決の目処はたっていない。

1.4　世界は非線形である

一般的に、世界の諸現象を記述する非線形の基礎方程式は、全く予測できない振る舞いを示すことが知られている。著者が現役の研究者であった時に、仕事の道具として使用していた流体力学の基礎方程式（ナビエ・ストークス Navier-Stokes の方程式）は、典型的な非線形の方程式であり、本質的には振る舞いを予測できない性質をもっている。それは、何故かと言えば、主要な変数である速度の積の項が方程式中に存在しているからであり、いわば、この積の項をどう取り扱うかが流体力学的な解析のもっとも基本の困難なのである。

ナビエ・ストークスの方程式などと言われても、一般の人にとっては、何らの意味をなさないように思われるかも知れないが、最も身近なナビエ・ストークスの方程式の応用は、天気予報である。気象は、上空およそ10kmまでの大気の流れ現象であり、低気圧、高気圧というのは、空気の渦であることは、最近のテレビの天気予報番組をみれば直ちに了解できるところであろう。そして、その天気予報が極めて困難な事業であることは、すべての人が実感として知っているところでもある。我が国の気象庁を含め、世界各国の天気予報を担当する機関は、常に、その時点で、最強のスーパーコンピューターを使用しているが、その成果は、実に遅々とした進歩しか見せていない。それは、気象庁の予報担当者が無能なわけでも、努力を怠っているわけでもなく、ひとえに、気象、つまり、大気の流れは、本来的に予測できない現象だからである。もしかして、普通の人々の間では、針小棒大な言明の見本と見なされているかも知れない俚諺、「北京で蝶がはばたくとニューヨークでは嵐が起こる」は非線形現象としての気象については紛れもない事実なのである。

たとえ、全世界からとってきた莫大なデータがあって、それを、超高速のコンピュータで計算しても、それを線形演算で処理しているかぎり非線形な変化を予測することはできない。これが、現在もなお、天気予報は、４－５日先（ま、これでも大分進歩したわけだが）までは比較的正確に天気をあてるが、一週間先になると相当あやふやになり、一ヶ月先以上の長期予報になると全くあてにならないことの真の理由である。これから導かれることは、たとえ、今後人工知能が飛躍的に進歩したとしても、天気予報がいまより当たるようになることはあり得ないということである。実際、流体力学者の中にも、人工知能、つまり、深層学習を用いて流体力学的な現象を予測できるか試みている人たちがいるが、その結果は全く否定的である[14]。

このことは、流体力学のような自然現象に限らない。我々人間の行動については、その本質的な力学方程式が知られていないだけではなく、極めて非線形性が強いことは明らかである。たとえば、株式投資をする個人（企業＝法人でも同じこと）は、相互に強く干渉し、噂やデマで、簡単にパニックに陥る。人工知能を株価の予測に用いれば、大もうけができるであろうというのは、誰でも最初に思いつくことであり、そのような試みは、至るところでなされているに違いないが、依然として、株価の変動を予測できる人工知能が現れたという話は報じられていない（もっとも、そういうものを作ったら、だれにも秘密にして、大もうけを狙う筈であるから表にでないのである、という穿った見方もあり得るが)。現在、株取引において実際に利用されているAIは、こういう、言わば正面からの予測でなく、他人の取引に横から割り込んで利益を掠め取る「高速取引」が主である[15]。いわゆるフィンテック(Financial Technnology)のかけ声に励まされて、証券業に身を投じた優秀な経済数学者たちが(その一部は、ノーベル賞さえ得ていた)無残に相場で敗北したのは、それほど古い話ではない[16]。こういうわけであるから、もっと長期の現象である人類の歴史などについてAIが何か意味のある予測をすることなど全くあり得ないと言って良い。アイザック・アシモフが、ファウンデーションシリーズ[17]の中で予言したハリ・セルダンの心理歴史学の実現可能性は、残念ながら非常に低いと言わざるを得ない。

つまり、現状、および、想像できる相当長い先の未来においても、人工知能あるいは深層学習にできることには本質的な制限がある。自然現象の予測にAIを用いることは、それが、大規模かつ長期である場合には信頼できない。限定された小規模の問題で、しかも時間的に発展する問題ならば、時間を限れば、ある程度は成功するかもしれない。それは、どんな非線形の問題も、部分を取り出せば線形の近似をすることはできるからである。実は、我々が営々として築き上げてきた工学の体系は大部分そのような前提に立ったものである。しかし、上で紹介した流体力学のナビエ・ストークスの方程式のような、多くの自然現象を記述する非線形の微分方程式には、そもそも、一般解があるかどうかすら不明のものが多いのである。人間の心理、社会の変化、経済の変動のような現象は基礎となる方程式系が確立していない上に、もし、それがあるとしたら強い非線形性を有しているに違いないと予測されるからAIのような本質的には線形な解析には限界がある。

1.5 AIがもたらす人間の知への影響

しかし、上述したような意味で、非線形性がない、あるいは、軽度であるような現象の解析には現状の深層学習でも滅法強力である。たとえば、IBMが開発したワトソンというAI（IBMは、これを人工知能とは呼んでおらず、質問応答システム・意思決定支援システムと定義しているようだが）は、テレビのクイズ番組で優勝し、さらに、実際問題への応用としては、白血病の診断と治療法の選択において、人間の医師の能力をはるかに上回る実績を示したとされている[18]。後者の医学応用の場合には、発表されている医学論文を大量に読み込み、提示された患者の症状から診断を行い、さらに、その病型から最適とされている治療法を選んだのだが、こういう大量の情報に基づく分類の問題には、AIは人間では全く及びもつかない能力を発揮する。この類推を進めるなら、いわゆる内科系の医療というのは、煎じ詰めると、技術的には医師のもつ医学知識と患者の病状を照合して診断をくだし、また、医学知識を動員して治療法を選択することであるから、こういうタスクには生身の人間より人工知能がはるかに向いていると言えそうである。

しかし、と、人工知能の優越性を認めたくない人々は言うであろう。人間の価値は、何事かを記憶して、それで現象を解釈することだけではない。人間は、何もないところから新しいアイディアを捻り出し、それまで認識されていなかった新しい現象や原理を見いだす、つまり、創造的な能力をもっている、と。実際、ワトソンが行ったのは、既に、人間が研究して報告した医学論文を大量に読み込んで検索しただけであって、何かを発見したわけではないと言えるからである。AIが新知識を生み出すことはないように考えられる。AIはその学習の過程で大量に読み込まれたデータの範囲で、存在することが確実な正解を見いだすのであり、そもそも、正解のない問題、あるいは、供給されたビッグデータから、人間があらかじめ与える正解以外の回答を、みずから見いだし、何か新しい現象あるいは原理を発見する能力はない。

1.6　科学研究へのAI・ロボティクスの進出と人間の存在

このような知的な営みの最も高度なものであると思われている科学研究も実は、すでに、AIとロボットに侵食されつつある。我が国を代表するロボットメーカーである安川電機は、生命科学の実験を行うロボットを開発した[19]。このロボットは、視覚と操作用のロボットハンドを持ち、人間が行う実験を人間が実施しているのと同じ道具（この同じ道具というのがミソなのだが）を用い、同じ手順で行う。これは、ボスの指示に従って、日夜同じ実験を繰り返す実験助手あるいは大学院学生を実験室から駆逐する能力を秘めている。もちろん、人間が決めた手順に従って何らかの操作を繰り返すことには創造性はないではないかという非難があり得る。しかし、世の中のかなりの研究には、こういうタイプのものがあって、たとえば、筆者の知るかぎりでは、新薬の開発のために次々に合成される化学物質の薬理的な性質を調べる実験などがそれにあたる。こういう「研究」では、完全に確定した実験の手順（プロトコル）のもとで、試験物質のみを変えて、極端な場合、何百万回の実験が行われるのであり、その報告である論文（報告書）は、物質名と、用量のみを記入するように、あらかじめ準備された、ひな形の文章に数値などを入力するだけで大量に作成されている。こういった“研究”業務は、多分、想像以上に速やかに生身の人間の手を離れるであろう。ただし、フレミングが、休暇で放置した培養皿に生えた青カビから抗生物質ペニシリンを見いだしたような発見は望めないわけではあるが。

このように、科学研究においてすら、人間を追いかけるAIの足音は、すぐ背後に聞こえる。一方、本稿で、自然現象の解析における非線形に関わるAIの限界を強調したのは、このような認識にこそ、来たるべきAIの時代を人間が生き抜いていくための鍵があると考えるからである。つまり、人間の立場からすれば、いかに、非線形に生きるかが、AIによる支配を逃れるための、多分、唯一の手段であり、多数の論者が、教養の意義を強調するのは、自覚的か否かは別として、この事情によっていると考えられるからなのである。

第二節　AIの社会的意味

2.1　ネットワーク中毒

近年、とくに若い人の間に、ネットワーク中毒と呼ぶべき状況が蔓延していると指摘されている[20]。実際、この数年間、大学で教養課程を教えていても、ほとんどすべての学生が、四六時中スマートフォン（スマホ）を操作していることが目撃される。少人数のゼミをしていても、事項的な問題、つまり、何とは何であるかという種類のクイズ的な問題には、学生がスマホを操作すると、あっという間に解答らしきものが得られる。もっとも、その解答の深さには、限界があって、普通、Wikipediaの記述の最初の項目に書いてある要約のレベルを、正誤を含めて超えることはできない。しかし、これを肯定的に捉えるならば、言わば、ネットワーク上の情報は、個々人の脳の外部に広がる補助記憶であり、人間の能力が拡大されたものであるとも言える。何か、問うべき具体的事項があるとき、このような検索手段があることは確かに極めて便利であり、その意味では、学習あるいは勉学ということの意味は大きく変わったと言わざるを得ない。フランス革命に代表される近代の市民革命の推進力の一つとなったとされる百科全書が掌中にあるのだから、知識というもののあり方が変わったと言っても良い。

ところが、このことが、人間の知的な水準を向上させたかと言えば、明らかにそうではない。むしろ、携帯電話を使って検索したり、ネットサーフィンしたり、マルチタスキングを行うたびに、脳の回路が変わることが報告されている[21]。さらに、検索で見いだされる情報は、誰かが、何らかの意図をもってネットワーク上にアップロードしたものであり、その精度・確度ともに何の保証もない。とくに、歴史および政治に関する情報は、場合によっては甚だしく偏っており、こういうものを、基礎知識に欠ける若い人が鵜呑みにするのかと思うと暗澹たるものがある。マイクロソフトがネット上に公開したAIが、ネットワーク公開後、16時間で、ヒトラーばりの人種差別的言辞を弄するようになって、停止させられたという例が明らかにしたように、こういうシステムに公正とか公平といった価値を期待することは困難である。もちろん、世の中にあふれている、いわゆるネットワーク右翼（ネトウヨと称される）の人々にとっては、そのような差別的言辞が、絶対的に真実なのであり、彼らがマスゴミと呼ぶ、ジャーナリズムが偏向しているのである。このような事情はAIの介在に関わらないということは、昨今のトランプ米国大統領とその取り巻きたちの言動からみても明らかであろう。

一方、GAFA（Google, Amazon, Facebook, Apple）と称されるグローバルなネットワーク企業のネットワーク支配は考えようによってはすさまじいものがある。一度でもAmazonで買い物をすれば、その履歴だけではなく、そこから連想される商品の広告でブラウザの画面が大袈裟に言えば埋め尽くされることも日常の経験となっている。しかも、そのようなデータが売られていることも公然の秘密であり、地図サービスなどの経路検索のデータが、全くの承諾抜き、法的手続き抜きに警察に引き渡されているということも報じられている。特に、実名が要求されるSNSで、個人の識別に関する情報が収集され、分類されて、全く他の目的のために利用されるという事態が世界中で問題となっている。このことに危惧を抱いたEUが、一般データ保護規則（General Data Protection Regulation; GDPR）を定め、EU内の全ての個人のためにデータ保護を強化し統合することを試みているのはこのためである[22]。

2.2 “1984”年的状況

AIの時代を迎えて、この状況を想像していた文学作品を挙げるならば、少し古くなるが、オーウェルの「1984年」[23]がある。「1984年」は、内容を紹介するまでもないかと思われるが、1984年の、「党」が支配するディストピアが詳細に描かれ、1949年、すなわち、70年前に発表されたことに驚きを感じるほどに現在のインターネット社会に酷似する社会が出現することが予言される。特に、社会の至る所に存在する双方向の情報端末である「テレスクリーン」が市民を監視し干渉する様子は、現在読み返してみても強烈なリアリティがある。現在、日本やEUなどでは、スマホの画面を通して、ビデオチャットをする人々の向こうに「党」が出現していないだけである。しかし、報じられている現代の中国都市部の状況は、ほとんど、「1984年」そのものと言わざるをえない。合計一億台とも称される街頭の監視カメラ、および、街角をパトロールしている警察官が装着しているAR（拡張現実－Augmented Reality）装置ごしに得られる人物画像を全国ワイドのコンピュータネットワークが瞬時に認識し、政府・共産党にとっての危険人物、まさしく「党」に叛逆する「テロリスト」が摘発されるという情景は予言された1984年の30年後に出現したディストピアそのものである。このような現実が、しかし、オーウェルが想定したような「社会主義的な貧困」の上にではなく、表面的な経済的繁栄の上に築かれていることは、50年前の中国の文化大革命への期待を記憶する老人である筆者には、より衝撃が大きい。それはさておき、現在の技術水準は、ここまで来ており、それが、実効的に社会に浸透するかどうかは、統治というものについてのコストパフォーマンス計算だけに依存していることは明らかである。もちろん、このようなディストピア・ネットワークの裏には、すべての個人のデータを食べ尽くすAIが存在することは疑いがない。中国には「ビッグブラザー」が、既に出現しているのである。

このような事態は、政治体制によらないことは明らかであり、我が国でも、昨年のハロウィーンの深夜に渋谷で発生した暴力行為の実行犯が比較的速やかに特定・逮捕されたことは記憶に新しい。その捜査の詳細は当然のことながら明らかにされていないが、報道されているような、それぞれの監視カメラの録画を再生・追跡して犯人を特定したというような生やさしいものではなく、すでに、街頭の監視カメラがネットワークに接続され、リアルタイムに監視が行われていることは確実であろう。我が国で、昨今話題になっている、至るところにあるセキュリティの設定が緩い監視カメラに対して、政府機関（総務省）が、網羅的にアクセスして、その脆弱性を警告するという試みは、穿って考えれば、そのようなカメラにバックドアを仕込んでネットワーク化することも充分可能であって、それがなされないという保証は全くない。

2.3　AIは“誰の”、そして“誰のための”ものか

このような現状についての議論で、多くの論者が、意図的にか、あるいは無意識的に避けている論点がある。それは、中国の例を含めて、AIは、価値中立的に社会の中に存在しているのではなく、“誰かの”所有物、私有財産であるということである。先述の第1図の第1象限、すなわちAIユートピアが、絶対に出現しないと筆者が考える理由もそこにある。Google, Amazon, Facebook, Appleの頭文字をとって称されるGAFAのすべては、歴とした私企業であり、極端な話、儲からないことはやらないのである。そのどれもが、AIの研究・開発で最先端にある。これらの企業のビジネスの特徴は、エンドユーザーに直接アプローチして、その欲求をきめ細かく収集・整理し、それに沿ったマーケティングを展開するところにある。その結果、囲い込まれた消費者は、自分の欲望と、GAFAの訴求とを同一化させられる。つまり、GAFAの売り込みが、自分の欲求であると思いこむように誘導される。しかも、そのような刷り込みは、個別化されているから、消費者は、あたかも、自分が自立的に振る舞っているかのように感じているのである。この延長には、映画で言えば、「マトリックス」[24]の世界があって、その世界では、人間はすべて電池のセルとして眠らされ夢をみている。これは、上述した情景でいえば、蓮の花の上で微睡む極楽の世界である。電池にされるというのが極端であるとするなら、GAFAの目論むディストピアでは、人の存在意義というのは、提供される商品を消費するために際限のない（自覚的ではない）奴隷労働を繰り返す存在ということになる。

私有財産としてのAIを所有するのは、法人・個人を問わず、資本であり、その本質は、自己目的化された貨幣の増殖であることは、現在の資本主義社会が続くかぎり真実である。つまり、現在のAIの議論において、決定的に欠けているのは、資本と労働の関係に関する議論なのである。この点に無自覚にAIと人との関係を空想することは極めて危険である。

しかも、これらの、スーパー国際資本は、国家の枠を超えていて、どの国家も、EUのような超国家連合も、これらの大資本の活動に規制を加えることができなくなっている。もちろん、レーニンが帝国主義論[25]で明らかにしたように、そのような資本は、存続のために、国家という暴力機構を究極的には必要としているという矛盾を抱えていることも事実であるが、ベルリンの壁の崩壊以後の社会主義国家の消滅によって、これに対抗するべきカウンタームーブメントの勢力は極めて弱体化している。世界のいたるところで蔓延する、社会の右傾化、弱者が最弱者を差別し、社会を分断する動きは、このような世界全体の構造変化に根ざしているのである。本来、GAFAのような、敢えて言えば悪辣な搾取に向かうべき怒りが、目の前に見える、移民や社会の下層の人々への憎悪に置き換えられている。これを、さらに効率化し、かつ、逃走不可能にするための道具がAIであると言わざるを得ないのである。

さらに危険であるのは、このような個人の分断は、商品の販売などに伴っているものだけではなく、最近の、米国大統領選挙におけるロシア疑惑に関連して報じられているような政治の根幹、民主主義の基礎である選挙と投票行動についても、さらに大規模に起こっていることである。良く知られているように、前回のアメリカ大統領選挙では、SNS最大手のフェイスブックのユーザーデータが、数千万人分（ということは、全米の有権者の大多数）意図的に流出させられ、投票の誘導のためのキャンペーンに利用された。なぜ、これが重要かと言えば、GAFAによる、囲い込みは、商品の購買行動を個人ごとに誘導するだけでなく、政治的・社会的な思考をも囲い込み・誘導しているからである。典型的なネットワークユーザーは、GAFAなどがセグメント化してコントロールしている“個人別の嗜好、意向”にそったニュース、情報のみを一方的に提供され、それが世界のすべてであるかのように考え、感じているからである。学生と話をしていても、新聞・雑誌などの印刷されたメディアに日常的に触れている者は、極めて少数であり、大多数が、ネットのニュースサイトからのみ情報を得ている。そして、そのネットのニュースサイトを覆っている言説の偏向（というのは、公平を期すれば、筆者のような年寄りからみてということにはなるが）は目に余る。これが、投票行動を左右しているとすれば、その帰結は明らかであろう。

2.4　AIによって駆逐される専門職

2013年にオックスフォードのOsborne[26]らによって発表された、AIによって駆逐される職業のリストは、我が国では、やや偏執狂的に細分化された多数の職業のリストを掲げることによって、センセーショナルな話題になった。その中には、なるほどと思わせるものもあり、また、そんな職業がと思わせるものもあって、話題としては面白いものではあった。そのなかで強調されていたのは、定型的な事務的作業を主たる内容とする業務は、たとえ、現在、社会的に認知されていて、高度な資格を必要とするものであっても、AIによって駆逐されるであろうということである。とくに、知識をもとに、それを機械的に現実に適用する仕事は、たとえ、その知識が極めて高度で、量的に大きくても、危ういというものであった。そのなかには、弁護士、会計士、裁判官などのいわゆる士業や、会計・経理の担当者、さらには、大方の技術者と研究者まで含まれていて、それに事細かな確率まで付されているに至っては、いかなる根拠でこのようなリストを作成したのか、真面目に取り合うことに困難を感じるものもあった。しかし、専門職のなかで、AIとそれを装備したロボットに長期的には太刀打ちできないであろうと想像されるものがあることは否定できない。筆者は、職業教育としては、医学を学んだので、医療については多少の知識があるから、その眼でみると、たしかに危ない専門分野は多い。よく指摘されるのは、画像を用いた診断に関する分野である。そもそも、AIの技術の進歩は、画像をめぐる領域において著しいことは、先述した監視社会の到来などに現れている。医学・医療の分野で言えば、固定の機器を用いた画像診断、たとえば、X線画像、CT、MRIなどでは、撮像が、ルーチンの手順によって、判断を下す技術者（医師）とは別の専門技術者（たとえば、放射線技師）によって画一的に行われ、これを読影することが、実際の患者と向き合うことなしに行われる。このようないわゆる放射線画像診断は、多分、最初にAIに置き換えられるであろう。現在でも、大量に発生する画像情報は、まとめて、放射線診断医によって流れ作業的に処理されており、遠隔診断という形で、撮像が行われた施設でないところで、担当医のオーダー伝票のみを手がかりにチェックされることも多くなっている。すでに、画像の下読みにAIを用いることは試みられているという。それが、全面的にAIになるのは時間の問題であろう。

先述したように、内科系の臨床もAIの浸透によって、大きく変わる可能性がある。医学・医療というのは、大きく分けると内科系と外科系に分類される（精神科の医師にとっては、身体科と精神科という区分になる）が、内科系の医療は、AIの進出によって大きな影響を受けるであろう。IBMのワトソンのようなシステムは、小型軽量（かつ、安価）になったら、内科系の診察室の必須の設備になる。すでに、糖尿病の眼底画像を自動診断する機器は、米国の保険当局であるFDAの認可を取得しており[27]、筆者の知己である米国人の計算力学エンジニアが起業して市販している心臓の自動画像診断プログラムは、最近、我が国の健康保険に収載された[28]。後者は、医師の診断に情報を提供するというスタンスであるが、前者の眼底画像の診断機は、医師の介在なしで、診断名を下す。筆者は、医師としては、外科を専攻したので内科にやや偏見があるかも知れないが、これまでの生涯において出会った、本当に優秀な内科医は、典型的には、不可思議としか言い様のない、画像的記憶能力（教科書をページごとに画像として記憶する）と、それを、超高速で連想記憶検索する能力をもつ人々であった。医学部の入学試験が選抜しようとしているのは、こういう人たちなのだろうと感心したものであるが、しかし、AIの時代には、こういう能力は不要とまでは言えないにせよ、重要度が下がることは確かである。実際、現在でも、AIとさえ言えないような自動診断は、市販の心電計に普通に搭載されており、それを専門としない医師の能力をはるかに上回る診断能力をもっている。自動問診システムと、自動検査システム、そして、自動の画像診断システムが高度化したときに、内科医が行う業務は変化せざるを得ないし、その結果、相当程度の淘汰が起こることもやむを得ないであろう。勿論、そのような動きに対する抵抗もまた激しいものがあるであろうけれども。

外科系の医療も大きく変わるであろう。現在、手術ロボットと称されているシステムは、実際は、多自由度の操作部をもつマニピュレーターであって、外科医の操作を手術対象の領域に伝達するだけであるが、それでも、操作を拡大したり、縮小したり、さらには、手ぶれを除去したりする機能がある[29]。この機能はすべてディジタルに実現されており、これを一部的にであれ自律化することは技術的に難しくない。このいわゆる手術ロボットが導入されて10年以上を経過しているが、最近、聞こえてくるその評価は、このシステムは、むしろ、初心者や未熟練の外科医が使用した場合に、最も価値があるとするものである。この論理の延長線上には、未熟練の外科医が、このシステムで訓練されることが普通になれば、短時日で、そういう手術しかできない外科医が出現し、そして、それが自動化されるという予想がたつ。従って、内科・外科を問わず、技術に落とし込むことが可能な領域は、誤りを犯さない（犯す可能性が生身の人よりは、はるかに小さい）AIに置き換えるという動きが加速するであろう。

科学研究の領域も、この例外であり得ないことは、先述した通りである。実験的研究の多くは、膨大な回数を繰り返す実験に依存しており、それを担っているのは、とくに、大学においては、学生であることは、周知のとおりである。人口動態における少子化に伴う大学の学生数の減少は今後重大な問題になると予想されるが、そのとき、研究活動を維持するために、そのような“研究”のかなりの部分が人手を離れることは必然である。これを、学生が、そのような単純労働の労苦から解放されると受け取るか、必要度が低下すると考えるかは、ひいき目に言っても難しいと言わざるを得ない。

第三節　AIと教育

3.1　AI以前の教育の問題

国立情報学研究所の新井が、「ロボットは東大に入れるか」プロジェクトで示したことは、皮肉にもロボットではなく、普通の子どもたちが、平易な問題文を読解できていないという現状であった[30]。この問題は、実は、今に始まったことではない。筆者が初等教育を受けたのはすでに60年以上前になるわけだが、非常に不思議に思っていたことがあった。算数のテストに、文章題というジャンルの問題があり、そこでは、その時々の学習レベルに対応する難易度の算数の問題が、文章で出題される。「リンゴが何個ありました。3人で分けると一人当たり何個になるでしょうか」というタイプの問題である。不思議に思っていたのは、そういう文章題の配点が、その他の計算問題などと比較すると、計算の手間あたりに換算すると異様に高いということであった。似たようなレベルの計算問題なら、一問あたり1点とすれば、文章題は10点は配点される。当時は、試験を受けて、文章題が何題かあると、実にラッキーと思ったものである。筆者の通っていた小学校は、小さな地方都市の、しかも、市街地と農村地帯にまたがる周辺地域にあるものであったが、まわりの子どもたちの様子をみていると、文章題は、非常に難しいと感じ、往々にして解答できないでいることが多かった。新井の著書を読むに至って、この経験を思い出し、まわりの子どもたちが陥っていた困難を初めて十分に理解するに至った。つまり、彼ら、彼女らは、算数が分からなかったのではなく、国語の読解力が不足していたのだと。筆者が経験して以来、学校教育の制度と教育方法がこの問題をめぐって意識的に改善されたとは思えないので、新井が見いだした問題は、こういう事だったのであろうと想像される。これは、確かにAI以前の問題であり、これを改善しないかぎり、今後予想されるAIの進歩に伴って、人間が職場や社会から追い出される危険性はますます増加するであろう。

3.2 AIに伴う教育の問題

3.2.1. 初中等教育の問題

我が国社会では、今後、人口減少、とくに、若年者の人口の急速な減少が問題となっている。総数が減少しても、総合的にみた人の能力の分布が変化するわけではないから、今後、教育制度の改革によって、AIに代表される高度な学術および技術を理解し、応用することができる人材の、全人口に対する人口比率を変えることは期待できない。その結果として高度化する技術社会に参加し、そこで、十分能力を発揮させることができる人材は、いまよりさらに減少することは避けられないであろう。大局的にみたこのような分布を変えることは難しいが、その中身を改善することは可能であるし、また、緊急に試みなければならない。新井の指摘したように、その中核となるべきであるのは、自国語＝母語における読解力とコミュニケーション能力である。その基本は、文章を読む訓練と、作文の能力である。数学的な基礎力は、その次に重要であるが、そもそも、教科書を読み、理解して、問題を解く能力は、すべて、読解力によっているのであるから、まず、ここに注力しなければならない。これは、従来型の伝統的な国語教育の枠を越えた取り組みを必要とすると思われる。つまり、旧来の国語教育などで重点を置かれた、文学作品などを読み、その意図、あるいは、表現上の工夫について味わい、学ぶことではなく、それ以前の問題点として、ある文章が、端的に何を言っているのかを理解できることが必要である。これは、相当の抵抗を受けつつ、初中等教育に導入されつつある。つまり、文学作品を味わうのではなく、街頭の掲示や請求書を読む訓練ということになる。これは、文学がもつ文化的意味を考えると実に残念なことではあるが、やむを得ないであろう。

その意味で、旧弊の誹りを受けるかも知れないが、昨今話題になっているスマートフォンの小中学校への持ち込みの解禁には慎重であるべきである。スマホの上に展開されているSNSには、多くの問題点があるが、これまでの文脈から言えることは、思考を分断して定型化することがある。初中等教育の現場で問題となるのは、LINEなどに代表されるSNSであろうと思われるが、これらのSNSの特徴は、起承転結をもつ、つまり、論理的な文章の作成と受容を必要としないだけでなく、これを分断化することにある。この結果として、このような文章の背後にあるべき思考そのものが単純化することは否めない。スマホとネットワークに関する社会的な関心は、動画投稿やいじめなどに注がれているが、教育という観点からは、むしろ、思考力の低下をもたらすことがはるかに重要である。意味のある文章を読ませる訓練、それを綴らせる練習こそ、低学年の初中等教育の中心でなければならない。これを徹底しなければ、普通の人々へのAIによる、分節化、分断化、そして、社会そのものの分節化を防ぐことは難しい。この意味で、現在、進んでいる英語教育の低学年化も誤っている。たしかに、外国語教育は、グローバル化する世界でのコミュニケーションにとって、非常に重要であるが、母語において、意味のある文章を読み・書きする十分な能力に欠ける児童・生徒が、外国語においては、それが可能となるということはおよそ想像できない。日本人が、英語を現実場面で話す・聞くことができないのは、低学年で英語教育をしていないからではない。そもそも、言語によるコミュニケーションの能力に欠けるところがあるからなのである。むしろ、現在のAIおよび、言語解析の自動化が進歩すれば、大方の英語嫌いの人々が夢想する、機械による自動翻訳の実現は、すくなくとも日常会話レベルであれば、十分実現する可能性があるのである。外国語教育を、真の言語能力の開発と向上に注力すべき初中等教育で、限りある時間のなかで実施することは本質的な知的能力の開発という観点から誤りである。AIの時代を迎えるいまこそ、逆説的に響くかもしれないが、国語の能力開発にこそ集中すべきである。実際、筆者のごく狭い経験からも、英語が話せないのは、学校教育が話す英語に注力しないからであると恨み言を言う企業人と、話してみると、つまり、その人たちには話すべき話題がないことに気づいていないことが多かった。例外はあるであろうが、たとえ、日常会話においてであれ、取り上げられる社会や歴史に関する広範な話題の展開についていけないことは、英語教育の問題ではないのである。

3.2.2 高等（大学）教育の問題

本稿を草するにあたって、問題意識にあったのは、筆者が、教養教育院において経験した教養教育であった。高等教育は、普通、専門教育を最終的な目標とするものであるので、教養教育は、その前段階ないしは基礎段階として位置づけられており、従って、専門教育に比べれば、初等的あるいは従属的とされてきたと思われる。このことは、とくに、1991年の大学設置基準の大綱化に伴う教養課程の廃止・統合によって制度的にも裏付けられることになったのだが、その濃淡は大学によってヴァリエーションがあった。筆者は、工学部では機械系に属していたので、比喩的に言えば、そのグラデーションのもっとも淡い極端から、この過程を見ることになったが、そこでは、教養課程とは、専門の下請けであり、学部の教員が関与するべきものではないという意識が専らであった。勿論、これには、複雑な歴史的な制度の変遷が影響しており、単に、意識が低い高いという次元で論じることが出来ない問題も多かったが、感心するほどの“専門バカ”が横行する世界ではあった。しかし、そのような専門教員も痛いほど認識していることは、専門の最先端こそ、あっという間に陳腐化し、卒業後10年して、大学学部あるいは修士課程で習得した専門知識のみで生きていくことはできないということである。とりわけ、先述したように知識を現実に適用することによって業務を推進するタイプの専門職は真っ先にAIによって置き換えられる可能性が高いのであり、専門の領域が高度であればあるほど、領域はせまく、新領域の出現による技術革新においていかれる可能性が高い。このような事態に対して、専門領域の教育においても、基礎的な知識・技量の必要性は認識され、また、機会あるごとに、強調されているのだが、さらに、その先の（あるいは、その根元の）要件は必ずしも意識されていないと言わざるを得ない。

私見では、それは、哲学、倫理、そして歴史、つまりリベラルアーツである。先述したように、AIに人間が対抗するために、リベラルアーツを掲げる論者は多いのだが、世界と人間の関係を考えるための哲学、人と人の関係を考えるための倫理、そして、時間と人の関係を考えるための歴史こそ、今後の教養教育において、人間がAIに囲い込まれるのを防ぐための必須の科目である。工学技術の言語と伝承された（すなわち、思索の道具としての）言語について、「熟考されなければならないことは、母国語の授業とは産業時代の諸力に直面して専門教育にたいするなにか一般教養にすぎないようなものではなく、…むしろ省察の一種でなければならないのではないか、それは、…言語と人間との関係を脅かす危険への省察でもある」とするハイデッガーの講演[31]の一節に示される技術の基礎に関する哲学が、教養教育において必須なのである。倫理について言えば、和辻哲郎が、その倫理学[32]において「人と人との間柄の問題としてではなくては、行為の善悪も義務も責任も徳も真に解くことができない」と大前提で述べたように、工学技術が世界を大きく変え、人間の存在意義が機械との対比において薄らぎつつある現代にこそ、表面的な“技術倫理”ではない倫理が必要とされているのである。このことは、先述のネットワークにおいて孤立化され、ネットワーク資本によって囲い込まれている人々を見るとき、まさにAIがもたらす非人間化の問題として浮かび挙がってくる。最後に歴史であるが、ウオーラーシュテイン[33]が取り上げた、「科学的普遍主義は、すでにその権威に疑いが生じて」おり、「知の構造は、世界システム全体とまったく同様に無秩序（アナーキー）と分岐（バイファーケーション）の時代に突入した」ことを認識し、そのなかで、技術全般の歴史、とりわけ、本稿で論じたAIと人間の相克を乗り越える道を探究する必要があるのである。

まとめに代えて　AIがもたらす未来を克服するには

本稿では、最近ブームとなっているAI人工知能のもたらす問題点について、とくに、教養教育にもたらす影響について、考えてきた。図1において図式化した技術的および社会的なインパクトという論点について言えば、筆者の考えは、第IV象限にある。すなわち、AIは、技術的には種々の制約が多く、今後、いわゆる“強いAI”が出現して、シンギュラリティが起こり、人類社会を変えることはありそうにないけれども、現在利用可能となって、広範に利用されている“弱いAI”でも、十分に強力であり、人間社会に及ぼす影響は、肯定的・否定的の両側面において、重大なものがあるであろうということになる。とりわけ、現在、急速に進行している画像認識に関するAIの社会実装は、極めて危険な様相を呈していると言わざるを得ない。

このような状態において、社会に出て行く学生たちに、授けるべき教養教育の課題は、むしろ、専門教育においてAIとプログラミングに代表される情報技術教育を行うより遙かに重大である。すなわち、近未来においてAIが駆逐するとされている職業のリストは、このことに無自覚であるなら、普通の大学の卒業生が就くべきものを相当程度に含んでおり、このことを抜きにして、将来計画を考えることはできない。来たるべきAI時代に、人が持つべき教養として、リベラルアーツを挙げる論者が多いが、具体的に、その、どのような基本を学ぶべきであるかと言う点についての議論は、深められていない。

本稿では最後に、教養教育におけるリベラルアーツの基本として、哲学、倫理学、歴史を取り上げて論じたが、その教育法についても考えておかなければならない。その第1は、学生にとって、このような科目が、講義室で教授される退屈な座学であってはならないということである。学生は、自ら、それを学び、問題意識を研ぎ澄ますように奨励されなければならない。しかも、それを、お座なりなネットワーク越しの“情報収集”で済まさせてはならない。このことについて学ぶことが、学生の将来にとって死活の意義があることを理解させなければならない。第2に、このような認識を、“人と人との関係”において樹立させなければならない。天下りではない、学生同士が相互にインタラクトする少人数の環境でこれを実現しなければならない。第3に、AIと、それがもたらす未来は、伝統的な文系、理系の枠を超えたものとなることを十分に認識するためのカリキュラムが用意されなければならないであろう。具体的には、文系の学生に、数学と理科の基礎を学ばせることが絶対に必要である。何か得体の知れない技術によって、人間社会が変容するとき、その技術の本質的限界を知っているかどうかは、文系の学生にとって生存に不可欠である。一方、理系の学生に、哲学と歴史を学ばせることも必須である。AIがもたらす産業・技術構造の転換によって、もっとも影響を被るのは、実は理系の学生であるかも知れないからである。

そして、このような教育を、文章を読み、綴ること、つまり、読書と作文を通じて実施することが必要である。AIを装備したネットワーク環境は、人間を個人として分断化し、その知識を断片化することを通じて支配する。まとまった考えを受取り、その内容について考察するという営みは、140字のツィッターでは絶対に不可能なのであることに思いを致さなければならない。

AIおよび、これを武器とするGAFAなどの、グローバルな資本による、人間と社会の分断化に抗するためには、人と人との自立した共生関係が回復されなければならない。このことは、すでに、イヴァン・イリイチ[34]が、学校教育や医療について強調した点である。イリイチは、このような関係を、コンヴィヴィアルな関係とよび、現代社会において、コンヴィヴィアリティを回復するための道具としてネットワーク通信を考えた。1980年代はじめの初期のインターネット社会を記憶する者は、それが、いかに、コンヴィヴィアルなものであったかを感慨深く思い出す。ここまで、劣化・悪化した現代のインターネット環境において、これから、その関係が回復できるかどうかは不明であるが、SNSなどの、現代のネットワーク社会の道具がもっている、分断化作用に抗することができる人と人の関係を、粘り強く追求していかなければならない。

謝辞

何も知らない外科医者であった筆者に、工学の初歩から手ほどきをいただき、今回も、議論に貴重なご意見を賜った吉川昭博士にこころより感謝します。

【註】

1　サイエンスAI人工知能の軌跡と未来、日経サイエンス216、2016
2　レイ・カーツワイル、ポスト・ヒューマン誕生 コンピュータが人類の知性を超えるとき,井上 健他訳、NHK出版、2007
3　ジェイムズ・バラット、人工知能　人類最悪にして最後の発明、水谷淳訳、ダイヤモンド社、2015
4　ターミネーター、ジェームズ・キャメロン（監督)、オライオン・ピクチャーズ、ワーナー・ブラザース1984
5　AI白書（2019)、独立行政法人情報処理推進機構AI白書編集委員会編、角川アスキー総合研究所、2018、p.99
6　ジャック・コープランド、ダイアン・プラウドフート、チューリングの忘れられた研究、日経サイエンス、1999(7)
7　イアン・グッドフェロー、ヨシュア・ベンジオ、アーロン・カービル、深層学習、岩澤他訳、ドワンゴ、2018
8　ヨアヴ・ゴールドバーグ、自然言語のための深層学習、加藤恒昭他訳、共立出版、2019
9　岡谷貴之、深層学習、講談社、2015
10　Shun-ichi Amari, "Theory of adaptive pattern classifiers". IEEE Transactions EC-1: 299-307.1967
11　イアン・グッドフェロー、ヨシュア・ベンジオ、アーロン・カービル、深層学習、岩澤他訳、ドワンゴ、2018, pp142-144
12　Michael A. Nielsen, "Neural Networks and Deep Learning", Determination Press,「ニューラルネットワークと深層学習」翻訳プロジェクト訳、2014（https://nnadl-ja.github.io/nnadl_site_ja/)
13　丸山宏、深層学習とその意味するもの、学術の動向、24(2)、2019、pp48-55.
14　K.H.Parker, Imperial College, 2018,私信
15　マイケル・ルイス、フラッシュ・ボーイズ10億分の1秒の男たち、度会圭子、東江一紀訳、文藝春秋、2014
16　ニコラス ダンバー、LTCM伝説－怪物ヘッジファンドの栄光と挫折、寺沢芳男(訳)、東洋経済新報社2001年
17　アイザック・アシモフ、ファウンデーション －銀河帝国興亡史〈1〉～〈3〉、岡部忠之訳、早川書房、1984
18　久世和資、AIから量子コンピュータまで　先進技術による社会の変革、学術の動向、24(2)、2019、pp38-47
19　村井真二、バイオメディカルロボット「Maholo」誕生、実験医学別冊「あなたの

ラボにAI（人工知能）×ロボットがやってくる」、羊土社、2017、pp130-138
20　シェリー・タークル、つながっているのに孤独　人生を豊かにするはずのインターネットの正体、度会圭子訳、ダイヤモンド社、2018
21　ニコラス・G・カー、ネット・バカーインターネットがわたしたちの脳にしていること、篠儀直子訳、青土社、2010
22　EU一般データ保護規則、Wikipedia、2019年3月3日閲覧
23　ジョージ・オーウェル、一九八四年（新訳版）、高橋和久訳、早川書房、2009
24　マトリックス、ラリー・ウォシャウスキー、アンディ・ウオシャウスキー監督、ワーナー・ブラザーズ、1999
25　ウラジーミル・イリイチ・レーニン、帝国主義－資本主義の最高の段階としての、宇高基輔訳、岩波書店、1956
26　C.B. Frey and M.A. Osborne, The future of employment: How susceptible are job to computerization, 2013/09/17 Oxford Martin School
27　http://www.innervision.co.jp/products/release/20181202
28　https://www.heartflow.com/jp
29　https://www.intuitivesurgical.com/jp/aboutdavinci.php
30　新井紀子、AI vs 教科書が読めない子どもたち、東洋経済新報社、2018
31　マルチン・ハイデガー、技術への問い、関口浩訳、平凡社、2009、pp178-179
32　和辻哲郎、倫理学、岩波書店、1965、p.12
33　イマニュエル・ウォーラーステイン、ヨーロッパ的普遍主義、山下範久訳、明石書店、2008年、p.136
34　イヴァン・イリイチ、コンヴィヴィアリティのための道具、渡辺京二、渡辺梨佐訳、筑摩学芸文庫、2015

第四章　技術と環境
――建築の現場から――

吉野　　博

概説

第一節　建築学と建築環境工学

はじめに

筆者が専門とする学問領域の名前は、「建築環境工学」であり、建築学の中の一分野である。建築学は大きく分ければ、建築構造、建築材料、建築計画、建築経済、建築環境工学、建築歴史、建築意匠などに分類される。

建築学の対象は、構築環境とでもいうべきものであり、住宅、学校、病院、事務所、図書館などや、それらの集合としての街や都市など、人の手が加わった環境である。従って、地震や台風が来ても安全であり、使いやすくて機能的であり、室内は衛生的で快適に維持されており、自然環境や社会環境と調和し、形態として美しいことが求められる。さらに、長く使用でき、経済的であり、化石燃料の使用が少ないことも要求される。

そのために、建築学では、物理、数学、倫理学などを基礎として、過去の事例の分析、社会的調査、計測器を用いた測定、実験室における各種の実験、コンピューターシミュレーションなどを駆使して知識や技術が蓄積され、工学のみならず人文・社会学の側面も含む学問として体系的に整備されてきた。

建築学は、日本学術会議の参照基準[1),1]によれば、「建築物という生活の器を通して、我々の日常生活に近い空間の機能、構造、設備等との調和を図り、人の感性に直接働く空間の美しさや快適さを生み出すと同時に、敷地周辺の自然環境、歴史・風土等にも強く関連し、市民生活により密接に関わる学問である。」と定義されている。

1－1　環境的な観点から求められる条件

建築環境工学の分野に関していえば、構築環境の設計に際して要求される条件として、第一に安全性が求められる。これは、火災、ガス爆発、一酸化炭素中毒など人命にかかわる事故が発生しないようにすることである。一酸化炭素による中毒事故は、例えば、ガスや石油を燃料とする移動式のストーブを室内で用いた場合に、換気が不十分なときに発生する。

二つ目は、室内が衛生的で在室者の健康が維持されることである。例えば、室内の空気が化学物質や微粒子で汚染されずに清浄であること、湿度が過度に高くなくカビが生えないことである。これらが満足されない場合には、後に述べるシックハウス症候群や化学物質過敏症などの健康障害の発生に繋がるおそれがある。また、冬期において暖房していない部屋の温度が極端に低い状態にあると、循環器系疾患の発症の危険性が増すことなどが最近の研究で明らかになっている。

三つ目としては、室内の環境が快適であることが求められる。夏は涼しく冬は暖かく、目的に応じた明るさが確保されており、騒音、振動がなく、教室では講義の声、コンサートホールでは音楽が良く聞こえること、更にオフィスでは開放感があり、眺望も確保され気持ちの良いこと、などである。快適性に関する環境条件は、人によって大きく異なることが知られており、人種、気候風土、年齢、性別、社会的条件などが関係する。どのような環境が快適なのかについての研究は今でも継続的に行われており、設計上の制約条件として環境を調整するための暖冷房や照明用のエネルギー消費をいかに抑えるかといったこととの関連で議論されている。

1－2　設備的な観点から求められる条件

設備的な観点からは、室内の環境を衛生的で快適に維持するために最適な、そしてエネルギー消費の少ない暖冷房・空調・換気設備が求められる。これらは、建物の断熱性能・気密性能・日射の制御性能などとの関連で設計される。また、清浄な飲み水や適切な温度の湯が確保され、汚水・排水が処理されていること、人や物の搬送が効率的であり、電源が確保され、照明や家電製品が利用でき、情報ネットワークが適切に設置されていることなども必要である。

これらの設備の構成は建物の種類によって異なり、戸建住宅のように比較的規模の小さな建物では、その種類や数が限られているが、超高層オフィスビルや総合病院のような場合には、種類、数とともに極めて多く、また構成も極めて複雑となる。例えば、暖房設備に関して言えば、住宅では、石油ストーブだけが使われるという場合もあるが、オフィスでは暖冷房・空調・換気設備として一体となった環境制御システムによって調整される。従って、病院建築のように複雑な設備をもつ建物の場合には、その設備に関わるコストは建設費全体の 50 － 60%を占める場合[2]もある。

1－3　建築環境工学の分類

以上のように、建築環境工学の分野では、人々が生活し、勉学し、仕事をし、余暇を楽しむ等のために過ごす構築環境が安全・衛生・健康・快適であること、そして経済性、省エネ性、耐久性等を条件として建築や設備が適切に設計・建設され運用されることを目的に、知識や技術が蓄積され、理論と応用に関する学問として体系化されてきた。建築環境工学を更に分類すれば、1-1 の環境に対応する学問としては熱環境、空気環境、音環境、光環境、水環境、そして、1-2 の技術に対応する学問としては冷暖房・空調・換気設備、給排水衛生設備、電気・照明設備、防火設備などに分けられる。制約条件としては、先に述べた経済性、省エネ性、耐久性であるが、その他にも、近年は地球温暖化防止や環境共生といった観点が重視されている。

第二節　環境に関わる現代的課題

2－1　地球環境問題、資源問題

気候変動に関する政府間パネル（IPCC）の第5次報告書[3)]では、地球上の二酸化炭素濃度の上昇に伴う温暖化現象は人間活動が支配的な要因であった可能性が極めて高いことが述べられている。また、2015年の9月には、国連本部において、「持続可能な開発のための2030アジェンダ」が採択された。そして世界に住まう70億人の人々の誰をも置き去りにしないという共通の理念の下に、アジェンダには17の目標（SDGs: Sustainable Development Goals）と169のターゲットが掲げられ、2016年から15年間で達成することとされた。これを受けて、我が国では首相官邸のSDGs推進本部で2017年12月に「SDGsアクションプラン2018」が公表[4)]された。SDGsは、世界の様々な分野でサステナブル社会の実現のための活動の指針として利用されており、我が国においても認知度が高まってきている。現在では多くの企業がこの目的を企業の活動の一環として位置づけ、今後の目標を定めている。アジェンダの目標は、学問分野との関連でいえば、理学・工学、生命科学、人文・社会科学のあらゆる分野と関係[2]しており、逆に言えば、サステナブル社会を実現するためにはすべての学問分野が貢献すべきであるということになる。

IPCC第5次報告書、SDGsの採択などを踏まえて2015年11月から12月にパリで開催された国連気候変動枠組条約第21回締約国会議（COP21）では、「パリ協定」が採択された。その中では世界共通の長期目標として産業革命以前からの地球の平均温度上昇を2℃に抑え、世界全体で今世紀後半には人間活動による温室効果ガス排出量を実質的にゼロにしていく方向が示された。注意すべきは、現在の地球の平均温度は、産業革命以降で既に1℃上昇していることである。また、2018年12月のIPCC特別総会では、「1.5℃特別報告書」を採択し、気候に関連するリスクが1.5℃の上昇によって増加すると予測しており、ますます温暖化防止への機運が高まってきている。

我が国では、2030年において温室効果ガスを2013年度比で26%削減、民生部門では39.6%（業務部門39.8%、家庭部門39.3%）削減するという「地球温暖化対策計画」が2016年5月に閣議決定[5]された。この目標は、これまでの経緯から考えれば、相当に厳しい内容である。我が国は、天然ガス、石油などの化石燃料の殆どを海外からの輸入に頼っており、東日本大震災に際しての原発事故以来、原子力エネルギーに依存することが難しくなってきている。

更に、2019年6月には、政府は「パリ協定に基づく成長戦略としての長期戦略」を公表[6]し、「地域資源を持続可能な形で活用し、自立・分散型の社会を形成しつつ広域的なネットワークにより、地域における脱炭素化と環境・経済・社会の統合的向上によるSDGsの達成を図る「地域循環共生圏」を創造し、そこにおいては2050年までに、カーボンニュートラルで、かつレジリエントで快適な地域とくらしを実現することを目指す」としている。

これらのことを踏まえると、エネルギー資源の面では太陽熱・太陽光や風力、地熱、バイオマスなどの再生可能エネルギーの利用を積極的に推進していかなければならない。

2－2　高齢者対応

我が国は高齢社会に突入し、2030年には、高齢者人口の割合が31.6%となることが予想[7]されている。特に地方での高齢化は著しく、例えば2040年における高齢化率は秋田で最も高く43.8%と推定されている。わが国の寿命は世界で最も長く（2015年）、喜ばしいことであるが、寝たきりで長生きしている高齢者の割合は20%に上るといわれている。高齢者が健康で元気に生活するためには、コミュニティにおける施設や環境を整備するとともに、室内の環境にも十分に配慮しなければならない。そのために段差を無くす、手すりを付けるなどのいわゆるバリアーフリーが大切であるが、高齢者は環境の変化に対して脆弱となっており、各論で触れるが、温度変化の少ない環境作りが特に重要となってきている。また、高齢化に伴って増加している高齢者施設について言えば、臭いや湿度の制御が重要な課題である。

高齢者の健康と温熱環境との関係で、昨今問題となっていることは熱中症である。地球温暖化との関連が指摘されているが、猛暑日の割合はここ数年増加しており、今後もその傾向が続くとの予測[8]が示されている。都市の温度をいかにして下げるか、室内をエネルギー使用の増加を抑えていかに涼しくするかが課題である。

2－3　室内の環境と健康問題

シックハウス問題は、2002年にシックハウス防止のために建築基準法が改正されてからは、下火になってきたといってよい。しかしながら、無くなったわけではない。厚生労働省では、原因となる化学物質であるホルムアルデヒドなどの濃度指針値を2000年に公表したが、それ以外の物質による空気汚染も問題となっている。更にダニ・カビによる空気汚染が子供のアレルギー疾患と関連があるということが指摘[9]されており、解決すべき課題となっている。また、洗濯用に用いられる柔軟剤による香が原因で体調を崩す事例もみられており、香害という言葉も作られた。化学物質過敏症は、長期にわたる化学物質の摂取によってその人の許容量を超えると、微量な化学物質に暴露された際に発作をおこす病気であり、日常生活に支障が出るケースも報告[10]されている。

それとは別の室内環境問題として、室内の低温な環境がある。我が国では、冬の暖房は多くの場合、居間だけで団らん時を中心として行われている。従って、暖房していない部屋の温度が低い状態のままにあり、その低い温度が居住者の血圧の上昇などに繋がって、循環器疾患を引き起こすことが明らかになってきた[11]。

以上のように室内においては、環境問題が生じないように設計、建設、運用する必要があり、この件は各論で詳述する。

2－4　屋外の環境的課題

昨今は室内の環境的な課題に留まらず、建物の外の環境、都市的な規模の環境、更には地球規模の環境に関しても様々な課題が増えている。例えば、都市の温度が周辺環境の温度よりも高くなるヒートアイランド現象やPM2.5等の大気汚染をどのように抑えるか、緑や水を利用した快適な屋外環境をどのように設計するか、地球温暖化をどう抑えるか等である。そして、外の環境が屋内の環境にも大きな影響を与えている。室内環境を快適に、しかもエネルギーの使用を抑えるためには、窓を開けて通風を利用することが一つの方法であるが、そのためには外の環境の条件を十分理解して、窓の大きさや配置を計画しなければならない。しかし、大気汚染や騒音の程度によっては、窓を閉めざる得なくなり、空気清浄機を設置することも必要となる。また夏期の暑さが厳しくなってきており、汚染や騒音の問題が無い地域でも窓を開放することが難しいケースが増えてきた。わが国では、夏の暑さが厳しくなってきたために文部科学省は、2019年度の概算要求[12)]で全国の公立小中学校における普通教室へのエアコン導入を盛り込んだ。

2－5　AI、IoTによる環境・設備の制御

我が国では、殆どの人がスマートフォンを通して情報を交換し、情報を得る時代となった。また、家庭内の暖房・給湯設備、調理器具、家電機器などには人工知能AIによる制御機能が搭載されている。更に、オフィスではIoTを用いてあらゆる業務が行われ、室内の環境制御も自動的に行われるようになってきた。自動車もAIによる自動運転が現実のものとなってきた。平成28年1月には、科学技術基本計画においてSociety5.0が提唱[13)]され、IoT、AI、ビッグデータ等に基づいてイノベーションを創出し、あらゆるニーズに対応する新たな社会の実現を目指すとしている。

建築の環境や設備を制御するための技術は、飛躍的に発展しており、個人個人の快適条件に応じた環境制御も既に実現されている。また、高

齢社会にあっては、IoTを用いて、自宅での環境データや個人の生体反応データに基づいて健康状態を常時計測し、問題が発生する可能性が高い状況が生じた場合には、適切に対応するシステムの開発も行われ、部分的には実現している。

これからのIoTやAIの技術をどのように活かしていくのかに関しては大きな課題であり、倫理学などを含めた学際的な議論が必要である。

第三節　建築環境工学と関連する学問分野

このように建築環境工学の学問分野は幅が広く、他分野との交流や協力の機会が極めて多い。建築環境工学の各分野と関連する学問分野の例は以下の通りである。

熱環境：物理、理学、医学、倫理
空気環境：物理、化学、医学、疫学、薬学、倫理
光環境：物理、心理、情報、倫理
音環境：物理、心理、情報、倫理
暖冷房空調換気設備：資源、機械、電気、気象、経済
給排水衛生設備：機械、土木、気象
照明・電気設備：電気、情報

建築環境学から建築学に広げれば、その学問分野は理学・工学、生命科学、人文・社会学の多くの分野と関連する。

ところで、我が国の大学では、建築学科は工学部の下に編成されているのが通例であるが、海外の殆どの大学では、建築学科は工学部とは独立に設置されており、そこではデザイン教育が主体となっている。従って、卒業する学生は、建築構造、建築材料、建築環境工学など、我が国の建築学科では必須となっている科目を学ぶ機会が非常に少ない。そのためデザイン的に優れた建物でも耐震や環境の面で十分な性能が満たされていない例もみられる。我が国の大学の建築学科では、建築に関連する多くの分野を学ぶため、ホーリスチックな教育と呼ばれることもあり、そのような建築教育が国外では評価されている。

いずれにしても、住宅、都市、環境、社会経済、歴史、文化などあらゆる分野が構築環境と深く関連しており、極論すれば日常の身の回りのすべてが建築学を目指す者にとって素晴らしい知的財産となっている。

各論

はじめに

以上の建築環境工学の中で、各論では筆者が長年にわたって研究を続けてきた住宅における建築室内環境について取り上げる。住宅は、生を受けてから生涯を終える一生の間に多くの時間を過ごす場所であり、その環境は様々な点で居住者に影響を与える。わが国では、住宅の戸数は世帯数よりも大幅に上回り、生活する上での居住面積も満たされ、これからは質的な条件が満たされるべきであるといわれている。その質とは、既に述べたように、安全性であり、衛生性・健康性であり、快適性である。従って、環境の条件は人の生活を変える可能性がある。そして、それらの性能が適正に確保されるとともに、経済的にも無理ではなく、エネルギー使用も少ないことが重要である。

具体的な課題としては、①住宅のエネルギー消費問題、②シックハウスを含めた室内の空気環境問題、③健康との関連を含めた室内温熱環境の問題、である。いずれの課題も住宅建築の現場の実態をつぶさに観察することから問題点を明確にし、その原因、関連する要因の関係性を明らかにし、問題解決の方策を提案、実施するという一連の流れの中から、筆者は、快適、健康、省エネな住宅の設計原理、言い換えれば、居住者にとって最適な技術と環境のあり方を追求してきた。以下に、三つの課題について最新の情報も含めて概説する。

第一節　住宅のエネルギー消費問題

1－1　我が国のエネルギー消費量の推移

温暖化防止のためには二酸化炭素の排出を抑える必要があり、そのためにはあらゆる部門における化石燃料の使用を削減しなければならな

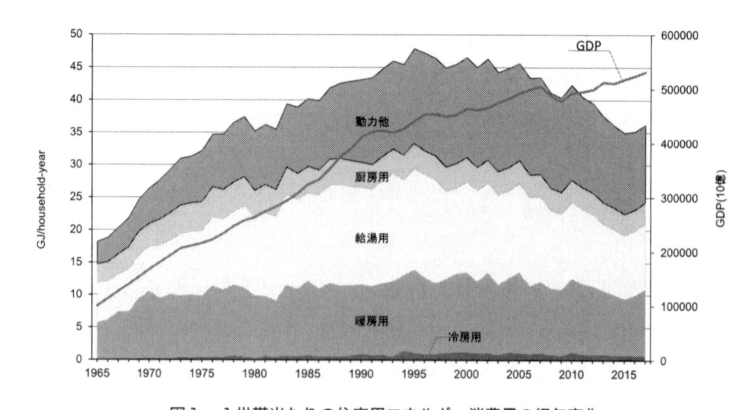

図１　１世帯当たりの住宅用エネルギー消費量の経年変化

出典：エネルギー・経済統計要覧

い。エネルギーを使う側の消費サイドで見ると、住宅用エネルギー消費量[14)]は、2017年においては2.09×10^{18}Jで、我が国全体の16.0%を占めており、1973年の2.1倍となっている。経年的にみると、1995年までは経済水準の上昇と共にほぼ一貫して増加してきたが、その後、減少と増加を繰り返し、2017年ではピーク年の10%減となっている。

これを一世帯当たりのエネルギー消費量[14)]についてみると図１のようになり、1995年にピークとなった後、減少の傾向を示している。特に2010以降は毎年３～5%の減少となり、2017年ではピーク年の76%まで少なくなった。減少の大きな理由は、家族人数の減少によるものと推察される。2017年の内訳をみると暖房28.0%、冷房2.1%、給湯28.1%、厨房用8.8%、その他（照明・家電製品・その他）32.9%となっている。

用途別に示したグラフが図２である。過去10年間の傾向としては、暖房と給湯がやや減少、冷房とその他用についてはほとんど変化がない。暖房用の消費量が減少している理由としては、断熱水準の向上、機器効率の向上などがあげられる。ただし暖房用は冬の寒さが厳しいときは多く、緩いときは少なくなり大きく変動している。給湯用が減少している理由は、家族人数の減少、機器効率の向上が挙げられよう。その他用の

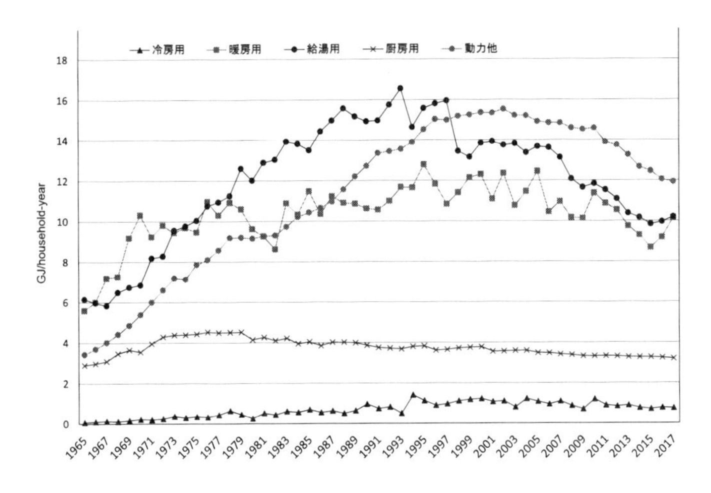

図２　１世帯当たりの用途別エネルギー消費量の経年変化

割合が最も大きいが、これは様々な家電機器、IT 機器が普及しているからである。全体的な減少の傾向は望ましいことであり、機器効率の向上、既存住宅の断熱化によって、更なる削減が期待される。ただし、室内環境の質は落とさないことが大切であり、必要なエネルギーは太陽光などの再生可能なエネルギーの依存へと移行していくことが必要である。

１－２　地域別の違い及ぼす暖房用エネルギー消費の影響

以上は日本全体のエネルギー消費についての特徴である。わが国は気候条件が北と南では大きく異なり、特に冬の寒さの違いは極めて大きい。従って、エネルギー消費量も地域によって大きく異なることが推察される。図３は、環境省が実施した調査による地方別のエネルギー消費量の年間の値と内訳 [15)] である。ただし、戸建住宅の場合である。図からは、北海道、東北、北陸地方が他の地域と比較して明らかに大きく、約 1.5 倍となっている。また、他の地域は沖縄を除けばほとんど差がないことがわかる。三つの地方が大きい理由は、用途別の消費量からみると暖

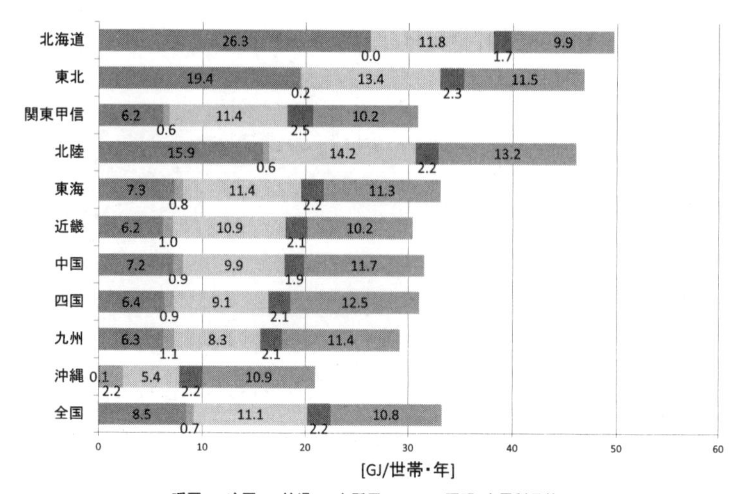

図３　住宅用エネルギー消費量の地域別の比較

房用が多いためであり、その値は他の地方よりも二倍以上となっている。即ち、冬の寒さが厳しいことがその背景にある。ただし、それだけではなく北海道においてはすべての部屋を一日中暖房していること、東北、北陸では、すべての部屋で暖房しているわけではないが、住宅の面積が大きく暖房している空間の面積も大きいことがあげられる。

集合住宅のエネルギー消費量[15)]について言えば、全国平均では戸建住宅に比べて40%ほど少なく、特に暖房用では80%ほど少ない。これは、建物の面積が少なく、家族人数も少ないこと、暖房用については、室内から熱が逃げていく外壁の面積が小さいことによる。従って、エネルギーの面では、集合住宅の方が圧倒的に有利である。また、地域の違いは戸建て住宅に比べると小さくなっている。

１－３　海外と比較して少ない暖房用エネルギー消費

欧米諸国のエネルギー消費量と比較すると図４[15)、16)、17)]のようになる。

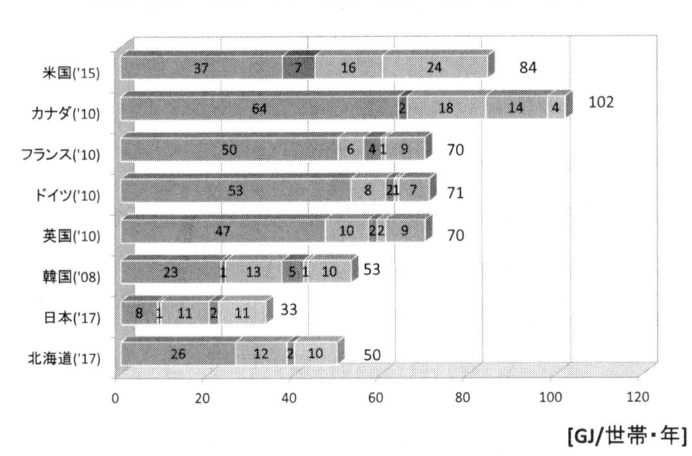

図４　住宅用エネルギー消費量の国際比較

日本については、全国の平均値と北海道の値を示した。図によれば、欧州のフランス、ドイツ、英国は約70GJで差が殆どない。カナダは寒冷な気候にあるため暖房用の割合が多く、これらの国の中では消費量が最も多い。米国は、その他のエネルギー消費量が多く、カナダと欧州の間に入る。

さて、日本全体のエネルギー消費量は、欧州に比べると半分以下であり、北海道の場合でも30%少ない。用途別にみると日本全体の場合には、欧州に比べて暖房の割合が極めて少ないということが特徴として挙げられる。その理由は冬季の寒さの違いということも関連するが、大きな理由は暖房形態の違いにある。即ち、先にも述べたように、北海道を含めて海外では住宅全体を一日中暖房しているのに対して、日本の多くの住宅では、居間を中心として朝食時と夜の団らん時のみに暖房を行っているからである。暖房に関してはつつましい生活をおくっているという実態を反映している。省エネルギーの観点からみれば好ましいという

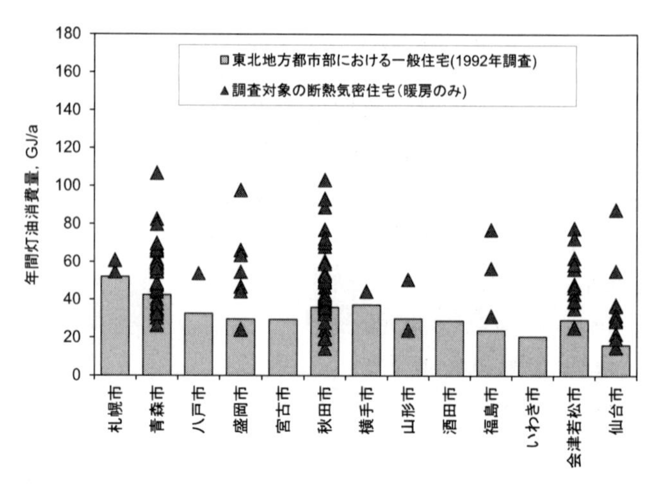

図５　高断熱高気密住宅における暖房用エネルギー消費量の既存住宅との比較

ことになるが、後の章で述べるように、暖房の無い部屋や暖房しない時間帯では室温が低い状況となっており、健康の面から言えば決して望ましくはない。暖房エネルギー消費を抑えたままで室温を許容範囲に維持するためには断熱化が重要である。

１－４　住宅断熱と暖房用エネルギー消費

住宅におけるエネルギー消費を抑える上では、断熱が重要であることは常識として知られている。住宅の省エネルギー基準においても地域別の断熱性能が規定されている。しかし、断熱気密化された住宅の暖房用エネルギー消費量を調査し、一般の住宅と比較した[18]ところ、断熱気密化は、必ずしもエネルギー消費の削減にはつながらないことが明らかになった。図５はその比較を示したものである。高断熱・高気密住宅のエネルギー消費量が多くの場合、断熱されていない既存の住宅の平均値よりも多くなっている。

なぜこのようなことが生じるのであろうか。仮に住宅全体を一日中暖房することを前提にするならば、断熱気密化はエネルギー消費に大きな効果をもたらす。しかし、先に述べたように、北海道を除けば、暖房は居間のみをある時間帯だけ行っており、暖房のエネルギー消費量はもともと少ない。高断熱・高気密住宅では、全室を一日中暖房するケースが多くなり、その結果、既存の住宅よりもむしろ暖房用エネルギー消費量は増加してしまうことになる。

即ち、省エネルギー化のための断熱の技術が、必ずしもエネルギー消費量には結びつかなかったという例であり、暖房の使い方という居住者の生活の仕方が大きく関与していることがその背景にある。ただし、室内環境が快適性、健康性の面で著しく向上したことは、十分に評価されてよい。

1－5　個別の住宅におけるエネルギー消費量とそのばらつき

我が国における地域別の特徴、海外との比較について平均値を用いてみてきたが、同じ地域でも住宅エネルギー消費量は、住宅によって大幅に異なる。筆者らは、仙台市の住宅300件を対象としたアンケート調査を2008年に実施[19]した。その結果、エネルギー消費量の平均値は47GJで、用途別にみると暖房、給湯、冷房用、その他では、それぞれ、15.4、16.8、0.3、14.5GJであった。即ち、暖房、給湯、その他で1/3づつである。また、消費量全体では、おおよそ10から100GJまで極めて大きくばらついていた。差の要因としては、まずは建物の種別が挙げられ、戸建住宅が集合住宅の1.6倍と大きくなっていた。次が家族人数で、5人の場合は2人の場合に比べて1.5倍となっており、暖房用と給湯用でその影響が、特に大きかった。

また、省エネ行動との関連を見ているが、給湯に関しては、「風呂の回数を減らす」「風呂の使用量を減らす」「シャワーを使用する際に節水する」ことについて、「実行している」と答えたグループは、「実行していない」のグループと比較して、それぞれ40%程度、エネルギー消費量が少ないことも明らかになった。

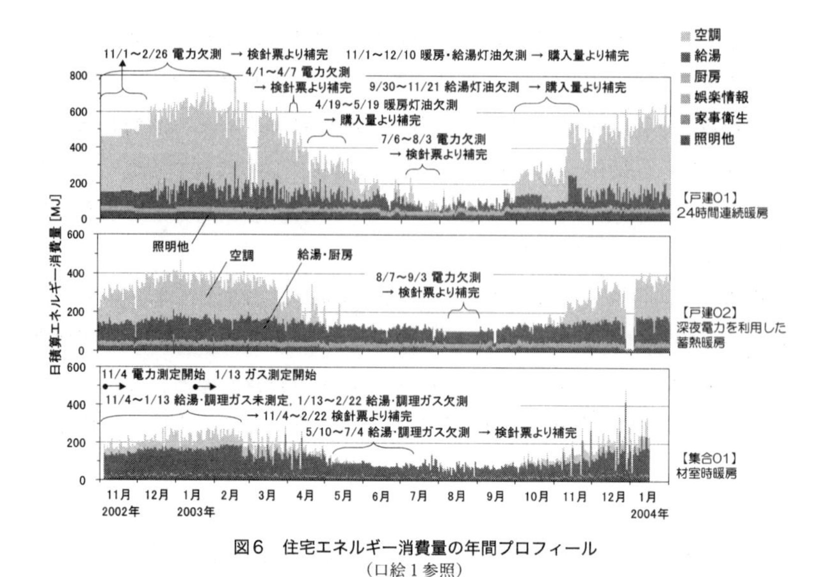

図6　住宅エネルギー消費量の年間プロフィール
（口絵１参照）

1－6　住宅における年間の用途別エネルギー消費のプロフィール

一つの住宅においてエネルギーの消費量は、設備の使い方によって日々異なり、また時々刻々と変化する。エネルギー供給設備の設計や省エネルギー対策を検討する上で、或いは今後、蓄電池の容量設計や複数の住宅間での電気融通を検討する際には、時々刻々と変化するエネルギー消費量を捉えることは極めて重要である。筆者らは、日本建築学会の特別調査研究委員会が実施した研究[3]の一環として、全国の住宅80戸を対象としエネルギー消費量を用途別に1年以上にわたり測定する機会を得た。電気は、配電盤の分岐部やコンセントボックスなど約20か所で1分毎に計測し、ガス、灯油（タンクが設けられている場合）は5分毎に計測した。その他、居間、寝室の温度を30分ごとに計測した。

ここでは、東北地方の三つの住宅における測定例[20)]を示す。図6は、15ケ月間のエネルギー消費量の変化を示している（口絵1参照）。用途別のエネルギー消費量は、図に示した分類よりも更に細かく計測しているが、見やすさを考慮して六つに分類している。それぞれの住宅の特徴を見てみると、戸建01は木造戸建てで5人家族、暖房は灯油熱源の全館温水暖房である。暖房用（空調）のエネルギー消費量が三つの住宅の中では最も多く、3月から6月にかけて漸減し、10月頃から増加して11月からはほぼ一定となる。室温は冬季間、居間、寝室とも約23度で一定となっている。夏は冷房を殆んど使っていないようである。給湯は、一年中、使っているが、冬の方が夏よりも多い。その他、厨房用、娯楽情報用、家事衛生用、照明その他用のエネルギー消費が一年中、万遍なく使われている。

戸建02は、やはり木造で4人家族である。深夜電力を利用した蓄熱暖房機および電力温水器が使用されている。暖房用は戸建01と同じように変化しているが、年間の絶対量では半分以下である。室温は平均的には約20℃であるが、一日の間で変化し、また寝室の方が居間よりやや低い。給湯は、年間にわたって使われており、冬と夏の差は少ない。その他のエネルギー消費量の特徴は、戸建01と同様であるが、やや少ない。

集合01は、3人家族のコンクリート集合住宅である。エアコンを用いて在室時のみに暖房を行っている。従って、暖房用エネルギー消費量は少なく、冷房用のエネルギー消費は殆どゼロである。給湯用のエネルギー消費量は他の住宅と比べて大きな差はないが、その他のエネルギーでは、照明他が殆どを占めている。

以上のように年間に亘るエネルギー消費量を詳細に計測すると、その住宅における生活の仕方や居住者の行動の様子を知ることができ、この結果から、どの点に注意すれば省エネルギーが可能なのかについての示唆も得られる。また、三つの住宅だけでも年間エネルギー消費量のプロフィールの差は極めて大きく、住戸形態、家族人数、暖房設備の違いのみならず、住まい方の違いが大きく影響している。即ち、技術的なハードの違いだけではなく、居住者の生活の仕方（ソフト）の違いの影響が極めて大きいといえる。

近年、居住者行動のエネルギー消費に及ぼす研究は盛んになってきており、人文・社会学の観点からのアプローチも見られ、学際的な研究として発展してきている。例えば、同じ団地に住む人が、隣近所のエネルギー消費量と自宅の消費量を比較することによって、自宅のエネルギー消費量が多いことがわかると、節約意識が働いてエネルギー消費量が少なくなったという事例が報告[21)]されている。

先に、我が国の暖房消費量は欧米に比べて暖房の使い方が空間的・時間的に限定されているために格段に少なく、それはつつましく生活していることの反映であることを述べたが、人の要素がエネルギー消費に及ぼす影響は大きく、人文・社会学的な観点から人の行動に関して研究することが省エネにつながる可能性が大きい。

第二節　室内空気環境と健康

2－1　シックハウス問題の顕在化と原因

シックハウスとは、その部屋にいると頭が痛い、目がちかちかする、皮膚がかゆいなどの症状を起こし、離れると症状が回復するという建物のことであり、室内の空気が化学物質などによって汚染されていることが直接的な原因である。原因となる化学物質は、ホルムアルヒド、アセトアルデヒド、トルエン、キシレン、パラジクロロベンゼンなどである。日本では石油危機を契機として、省エネルギー法が成立し、住宅では1980年に初めて断熱の基準（住宅に係わる省エネルギー基準）が規定[4]された。その後、省エネルギー基準は何度か改正され、断熱性能に関しては1992年（通称「新基準」と呼ぶ）と1999年（通称「次世代基準」と呼ぶ）に強化された。気密性能に関しては、1992年の改正時に初めて規定され、1999年の改正時に強化された。省エネルギー基準の制定とその後の改定の過程で新築住宅の気密性能が高くなり、自然換気量が不十分になったことが原因の一つとなりシックハウス問題が1990年頃から顕在化した。

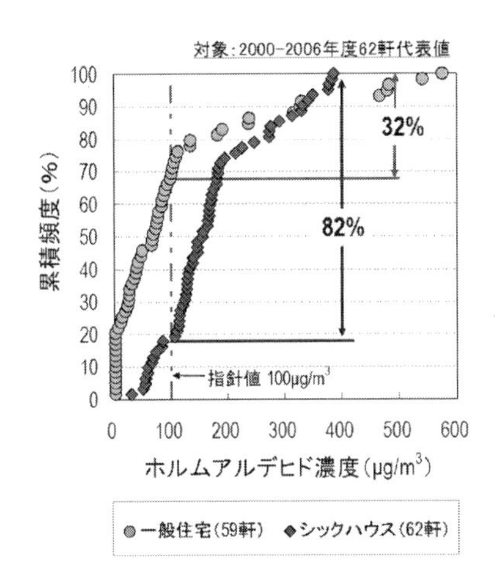

図7　シックハウスにおけるホルムアルデヒド濃度の累積濃度分布

2－2　シックハウス防止のための研究

以上のことから、厚生労働省や国土交通省の関連機関や大学などでは膨大な調査研究が実施された。その結果の一つとして、化学物質の中でもホルムアルデヒドは多くの住宅で検出され、健康への影響が大きいことが明らかにされた。そして、国土交通省は新築住宅、約5000件を対象とした室内化学物質濃度に関する全国的な実測調査[22)]を2000年に実施したが、それによれば27.5%の住宅において、ホルムアルデヒド濃度が濃度指針値を超えていることが明らかとなった。

因みに筆者らは、医学、疫学、化学等の専門家と共同で2000年～2007年にシックハウスに関する長期にわたる調査を仙台で実施[23)]した。調査の内容は、室内化学物質濃度、室内温湿度、換気量、ヒアリングによる健康や住まい方調査、医師の診断による臨床検査などである。それによれば、医師の診断によってシックハウスとみなされた住宅62件を対象として室内の化学物質濃度を測定したところ、図7[24)]に示すようにホルムアルデヒドの場合には82.3%の住宅で濃度指針値を超えていることが分

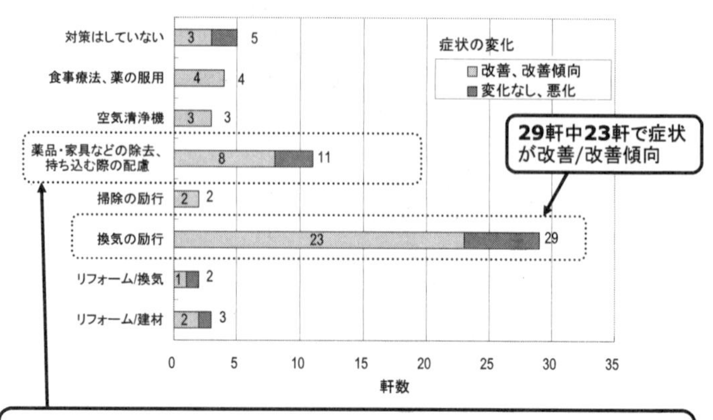

図８　シックハウス防止対策の効果

かった。東北地方の一般住宅59件においても調査[25]しており、その場合の超過率は32.2%であり、シックハウスにおける濃度がはるかに高いことが明らかとなった。化学物質の総量を示すTVOC[5]については、平均で厚生労働省が示した暫定指針値の約３倍となっていた。TVOCは、厚生労働省の濃度指針値に示されていない化学物質が含まれており、そのなかには木材そのものから発生する化学物質もある。ただし、それらの化学物質でも人によっては健康影響を及ぼすものもあり、個々の化学物質の人体への影響に関しては継続的に研究が進められている。

最長８年間に及ぶ追跡調査の結果[23]の一端を述べれば、ホルムアルデヒド濃度は、数年経過しても大幅には減少しないことが明らかとなった。ホルムアルデヒドは木材の接着剤として使用されており、材料の内部のホルムアルデヒドが時間と共に少しずつ揮発して外部に出てくるからである。それに対して、塗装材等に使われるトルエン、キシレンなどは、木材の表面にあるので、これらの室内濃度は短期間で減衰する。

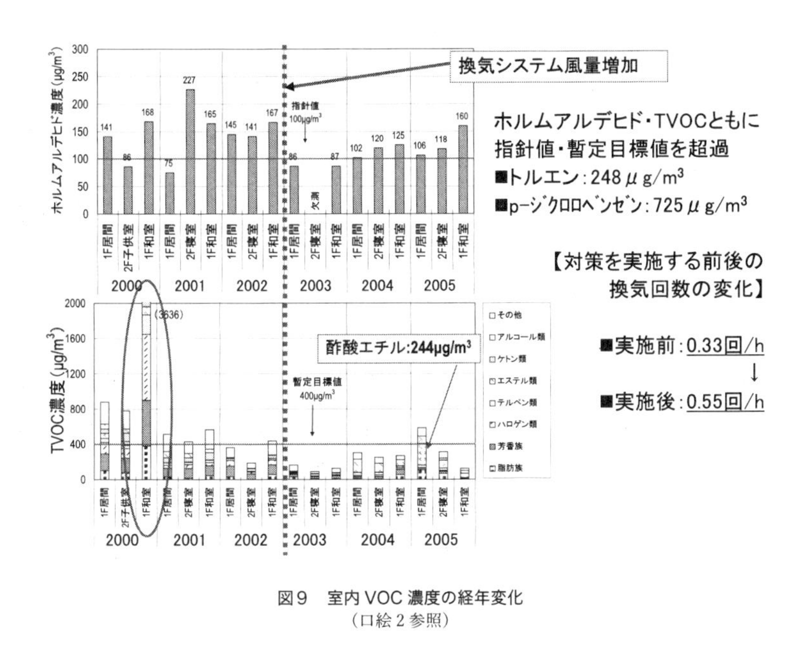

図９　室内 VOC 濃度の経年変化
（口絵２参照）

また、シックハウス症候群の症状を緩和する上でどのような対策をとったのかを調べてみると、図８に示すように、最も効果的な対策は、積極的に換気を行うことであり、また、化学物質が発生する家具や防虫剤・殺虫剤・ワックスなどの生活用品を排除することなどが効果のあることがわかった。その一例として、図９は、６年間にわたる化学物質の測定例[25]である。2002年と2003年の測定の間に、換気量を増加させたところ、ホルムアルデヒド濃度、TVOC濃度が減少していることが分かる（口絵２参照）。ただし、TVOC濃度の減少については、時間経過に伴う放散量の減衰も関係している。そして、シックハウス症候群に関連する家族の自覚症状を2000年と2005年で比較すると、二人とも症状が大幅に低下したことが報告されている。

2－3　シックハウスの防止対策

シックハウス問題が顕在化してから、多くの調査研究が行われたが、その成果を受けて、先に述べたように厚生労働省からはシックハウス症候群の原因となるホルムアルデヒドの室内濃度指針値が1997年に公表され、2002年までに13物質の室内濃度指針値とVOCの暫定目標値が制定された。また、ホルムアルデヒドの放散量を建材に表示する規定[26]が一般社団法人日本建材・住宅設備産業協会により2003年3月に制定された。

一方で、全国調査結果を踏まえて、シックハウス防止のために建築基準法が2002年に改正[27]された。その法律の骨子はホルムアルデヒドを含む建材の使用面積の制限と機械換気設備の設置による原則0.5回の換気回数の確保である。これは強制力のある法律である。その結果、シックハウス問題はかなり下火になった。2005年の全国調査の結果によれば、ホルムアルデヒド濃度が濃度指針値を超えた割合は1.5%と大幅に減少した[28]。ただし、現時点においても未だにシックハウス症候群に悩まされる居住者はゼロではない。厚生労働省は、室内濃度指針値の見直しを引き続き行っており、その成果としてキシレンなど三つの化学物質の指針値が強化[29]された。

シックハウス問題は、建物の気密化という省エネルギーにとっては有効な新しい技術が、室内環境の汚染を助長するというマイナスの影響を引き起こした例である。新たな技術の適用に関しては、総合的な視点から評価する必要があることを示している。

いずれにしても、室内空気を清浄な状態に維持するためには、適切な換気設備を設置して正しく運用すること、並びに原因となる化学物質を含む建材、家具、日用品の使用を避けることが大切である。換気設備の設置は、法律上、義務付けられているが、現実問題として換気用のダクトが施工時につぶされたり、接続されていなかったりする事例や、外気を取り入れる給気口のフィルターが汚れで詰まってしまい機能しないといったことも報告[30]されている。最新の技術があっても、それを正しく運用しなければ機能が発揮されないことの例であり、IT技術などを用いて問題が発生しない方策を考案することはできるであろうが、やはり人の問題がここでも絡んでいる。工学を超えて倫理や行動科学の分野からのアプローチも必要である。

2－4　ダンプネスと健康問題

室内環境問題の一つとして、2009年に世界保健機構WHOはダンプネスの健康への影響を指摘するレポートを発表[31]した。ダンプビルとは、湿気によるカビの発生が原因となって特に児童のアレルギー疾患への影響が懸念される建物のことを指すが、これは気密化による換気不足が背景にある。我が国においても児童のアレルギー疾患の罹患率が近年上昇傾向にあり、その原因の一つとしてダンプネスが考えられている。

筆者らは、日本全国の4、5年生を対象として室内の結露やカビと児童のアレルギー疾患との関連を2007年から3年間調査[32]した。1次調査では、7,392の回答が得られ、その結果、何らかのアレルギーに罹っている児童の割合は約50%にも達していた。そして、アレルギー性鼻炎、アトピー性皮膚炎、喘息が多く、喘息ではダニやハウスダスト、アレルギー性鼻炎や結膜炎では花粉が主要な関連要因であることなどがわかった。

1次調査の対象者の中から更に詳細な調査を行った結果、(1,680人から回答）建物との関係では、カビや水シミなどの発生と、「持続性せき」、「気道過敏症」、並びに「喘息様症状」とは、有意に関連性の高いこと可能性のあることが明らかとなった。

さらに、2次調査対象の中から88件を対象として室内の湿度を測定し、何らかのアレルギー疾患を有する児童がいる住宅（ケース群）と有しないグループ（コントロール群）に分けて分析した。そして、カビの生育には相対湿度70%以上の出現率が影響することが報告[33]されていることから、測定期間中に相対湿度70%を超える時間の割合を冬期の居間でみると、ケース群では20%の住宅で見られるのに対して、コントロール群では殆ど無いことが分かった[30]。

子どものアレルギー疾患に関しては、医学の方面では多くの蓄積があり、食事、ペット、ダニ、花粉、大気汚染などとの関連で研究されてきた。しかし、室内の湿度の関連では議論されてきたのは世界でも最近であり、アレルギー疾患の要因の一つとして高湿度を加え、医学、疫学、化学、建築などの分野が連携し、総合的な観点から研究を進めていく必要がある。

第三節　室内温熱環境と健康性・快適性

3－1　低い室内温度と健康への影響

我が国の場合、住宅の冬期の室温は、地域により、また部屋の用途により大きく異なる。気候条件の厳しい北海道の住宅では、多くの場合、住宅全体が暖房され快適な熱環境が形成されている。また北海道以外の寒冷地域にある都市部の新築住宅では、近年は北海道と同じように住宅全体が暖房される傾向になってきた。しかしながら、それらのケースを除けば、全般的には暖房は居間だけで朝と晩の時間帯のみに行われている。これは、暖房用エネルギー消費量に反映され、先に見たように、北海道・東北・北陸では他の地方に比べてそのエネルギーが多いことと対応する。暖房が空間的に限定されているために、寝室や浴室・トイレは低い温度のままであり、住宅の中で場所による室温の差が生じている。この温度差や暖房のない部屋の低温環境が、居住者の血圧の上昇につながり、循環器疾患の発生へと繋がっている。また、家庭内での事故死の中で、浴室内での溺水による死亡者数が高齢者では多いが、脱衣室や浴室などの非暖房室の温度の低いことが、その背景にある。溺死者数は、減少してきている交通事故による死者数（2018年で3,532人[34]）よりもはるかに多く、2018年の統計では約8,013人[35]となっており、早急な対策が必要である。

3－2　室温と脳卒中の発症

筆者らは1982年から数年間、山形県の三つの町を対象として山形大学医学部と共同で衣食住と脳卒中の発症との関係についての疫学的な調査を冬期に実施[36]した。

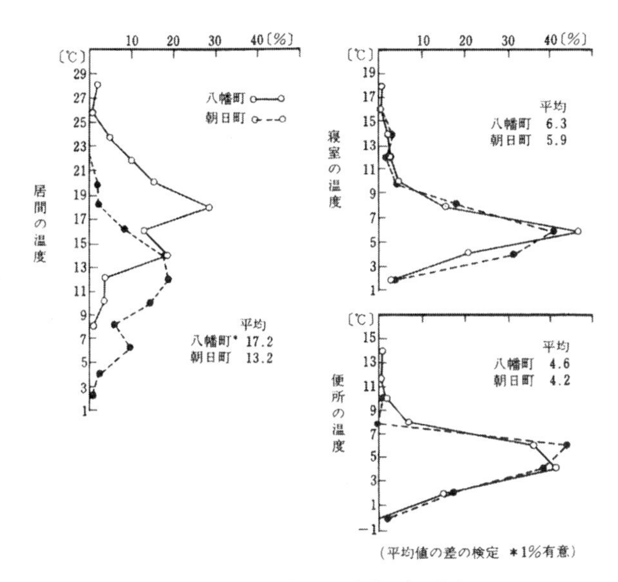

図10　八幡町と朝日町の室内温度の分布

脳卒中による死亡率は東北地方で特に高く、その原因としては、食塩の過剰摂取と冬の寒さであると、その頃は言われていた。しかし、冬の寒さが東北地方よりも更に厳しい北海道の死亡率は全国平均以下であった。この理由は、高齢者は室内で過ごす時間が長いので、外の環境よりも室内の環境の方が影響を受けやすく、北海道は室内が暖かく暖房されているからであると推察された。そこで、住宅の特徴、室内の温度、食生活、着衣の状況などについて、脳卒中死亡率の異なる三つの町を対象として調査した。

その結果の一部として、図10に八幡町（脳卒中死亡率が全国平均の約2倍）と朝日町（死亡率は約0.8倍）それぞれ約100軒の住宅における団らん時の室内温度の分布[36]を示す。室温は、外気温度が0℃に場合に換算して示している。この図から、まず寝室と便所の温度の分布は殆んど重なっており差が無いことが分かるが、平均温度がそれぞれ約6℃、

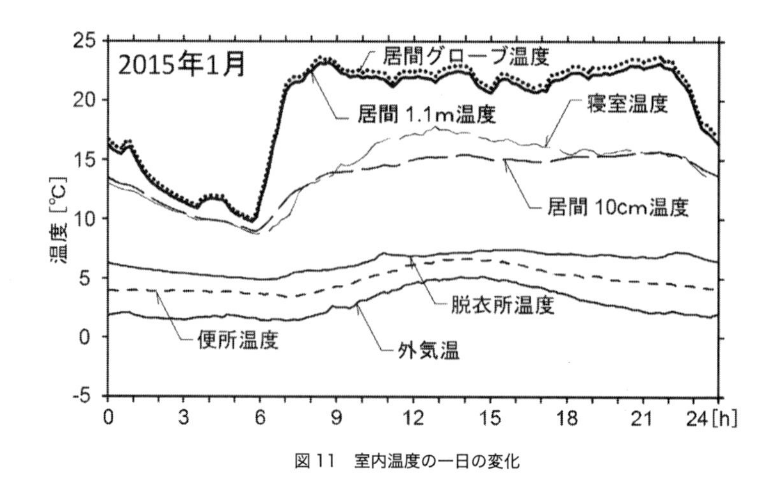

図 11　室内温度の一日の変化

4.5℃と非常に低い。次に、居間の温度は、両者で明確な差が生じており、平均値では脳卒中死亡率の高い八幡町が 17.2℃、低い朝日町が 13.2℃となっている。そして、八幡町の居住者の方が薄着をしており、隙間風を感じる割合が高いことも分かった。死亡率の高い八幡町の方が、居間の室温が高いというのは理解しにくいことであるが、居間と寝室・便所の温度差ということで見れば、八幡町の方が大きく、室内を移動する際には血圧の変化も大きくなり脳卒中発症の可能性が高くなる、ということで納得できる。いずれにしても、暖房している居間以外の温度が低いこと、暖房時以外の例えば明け方の居間温度が低いこと、そして、暖房室と暖房していない部屋の温度差が大きいことが問題であるといえよう。

その後、それらの町では、調査結果を基にして部屋を暖かくすることの大切さに関する啓発活動を様々な機会を利用して実施した。そして八幡町では 4 年後に、同一の住宅で室内温度を測定した[37]ところ、数件ではあるが、寝室や便所に暖房設備を設置し、温度も上昇していたが、殆どの住宅では変化がみられなかった。なぜ、変化がなかったのであろう

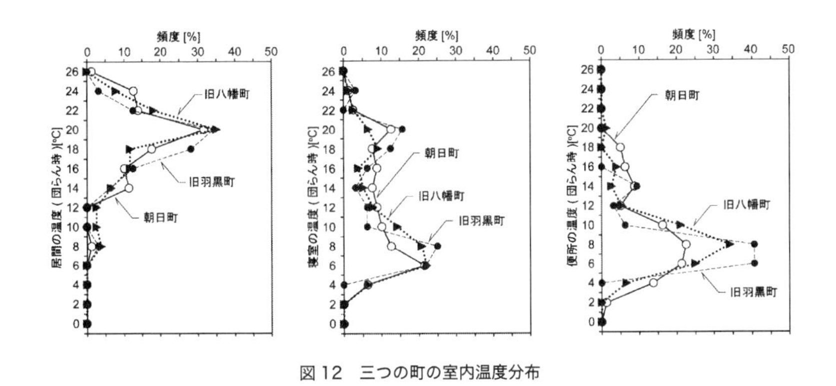

図 12　三つの町の室内温度分布

か。それは、居住者がその環境の下で長い間、生活してきており、特に不満を感じていないからである。この点については、宮城県における別の調査[38]で興味深い結果が得られている。即ち、居間の暖かさの感じ方とその時の室温を調べたところ、「暖かい」と答えた居間の温度は、10℃から20℃で大きく分布するが、平均値が14℃であり、「やや暖かい」については約12℃、「どちらともいえない」については、約10℃となっていた。このように低い温度に曝されながら、暖かく感じている。ただし、多くの住宅ではコタツを使用しており、局所的には暖かい環境に包まれている。

筆者らは、2015年の冬に、その後の室温の変化を調べるために改めて山形県の3つの町を訪れ、それぞれ約100件の住宅を対象に測定した。その結果[39]の一例として一日の温度変化を図11に示す。この図から、暖房している時間帯では室温が20℃に維持されているものの、暖房を行っていない部屋の温度は約5℃と極めて低い状態のままであることがわかる。但し、外気温度は約0℃である。また、図12には住宅全体の団らん時の温度分布[39]を示す。33年前と比較すると、八幡町と朝日町では居間温度に大きな差が現れていたが、そのような町の間での差は見られなかった。その理由の一つは、建物の設計や暖房設備に関する情報に関する共有化が進んだからではないかと推察される。

図によれば、居間の温度は暖房のために12℃から24℃の間で分布している。また、寝室温度は分布が大きく、約8℃と約20℃を中心とした山が2つ見られる。以前の調査では、20℃を中心とした山は見られず、寝室で暖房する住宅が増えたことを示している。トイレでは8℃を中心とした山がみられ、以前と大きな差はない。残念ながら多くの住宅では暖房している居間と暖房していない寝室やトイレとの温度差が大きく、33年前と殆ど変らない状況であった。

この時の調査では、一部の居住者を対象として血圧の測定を実施[40]した。ある居住者を例として、起床時並びに就寝前における室内温度とその時に測定した血圧の関係を分析すると、両者は負の相関を示し、温度の低いときに血圧が高くなることが明らかとなった。また、健常な高齢者14人を対象として、起床時における室内温度とそのときの血圧との関係を求めると、明らかに15℃以上の場合に血圧が有意に低いことが示され、温度が低いことの血圧への影響が現れていた。

3－3　断熱気密住宅における快適、健康性

断熱・気密化によって冬期においては暖房しない部屋でも室温がある程度、維持されることから、快適性が向上し居住者の健康を維持・増進させることにつながる。筆者らは、東北地方を中心として高断熱高気密住宅に転居した居住者、約450人を対象として、以前の住宅と比べて住まい方でどのような変化があったかについて調査[41]した。調査時期は1993年であり、高断熱高気密住宅が普及し始めた時期でもある。その結果によれば、50%を超える住宅で「朝の起床が楽になった」、「夜のトイレが億劫でなくなった」という回答を得た。また、20～40%の住宅で「暖房時間が減った」、「裸足で過ごすようになった」、「子供や高齢者の室内での活動範囲が増えた」と回答し、10%前後と少ないものの「外出が億劫でなくなった」と回答している。これらは断熱・気密化によって室内の温度が以前の住宅に比べて全体的に高くなり、寒い場所が無くなったことが

大きな原因である。その結果として室内での活動が活発になっただけでなく、外出も億劫ではなくなっている。

また、入居後の健康上の変化についても聞いているが、40%の居住者で良い変化があったと回答している。具体的な変化としては「かぜをひかなくなった」が半数で答えており、「神経痛、腰痛、肩こりがなくなった」の回答が約15%である。これらの変化は、温熱環境が向上し、居住者の生理的ストレスが小さくなったことが理由として考えられる。また、わずかではあるが、「アトピー性鼻炎が良くなった」、「アトピーの症状が軽くなった」との指摘も見られた。一方で、健康上の悪い変化があったと答えた居住者は15%で見られ、その内の30%前後が「乾燥肌になった」、「喉の具合が悪くなった」と指摘しており、わずかではあるが、「アトピー性皮膚炎が悪化した」という回答も見られた。

断熱化と健康の関係については、岩前らが2万人を対象とした大規模な調査を2010年に実施[42]している。それによると断熱気密化住宅に転居する前の住宅において居住者が罹っていたアレルギーなどの疾患が、転居後には恢復した例が多いことが報告されており、断熱性能が最も良い場合（次世代基準）で、例えば、気管支喘息では70%、喉の痛み、セキでは65%、アトピー性皮膚炎では60%、アレルギー性結膜炎では35%などとなったことを明らかにしている。

3－4　スマートウェルネス住宅（SWH）等推進モデル事業の成果

2014年度より、国土交通省スマートウェルネス住宅（SWH）等推進モデル事業の一環として、全国各地の医学・建築環境工学の学識者で構成する委員会（スマートウェルネス住宅（SWH）等推進調査委員会、委員長：村上周三　東京大学名誉教授、（一財）建築環境・省エネルギー機構理事長）が設置された。普及啓発のための組織として「（一社）健康・省エネ住宅を推進する国民会議」と連携しながら、断熱改修前後の住環境や健康状況の比較測定により、省エネルギー化が居住者の健康状況にもたらす効果について調査検証を実施[43]している。この調査では、建築環境工学、医学、疫学、公衆衛生学の専門家、56名が参加し、まさに学際的な研究が実施されている。調査対象となった住宅と居住者の数は、皆改修前で2300件、4000年、改修後で680件、1200人である。

2019年2月に開催された報告会[44]では、その成果として、家庭血圧と室温の関係については、起床時の居間室温が低いほど血圧が高い（60歳男性の場合には、20℃から10℃に温度が低いと、7.8mmHg上昇）こと、居住者の血圧は、部屋間の温度差が大きく、床近傍の室温が低い住宅で有意に高いこと、断熱改修後には居住者の起床時の最高血圧が有意に低下（－3.5mmHg）したこと、疾病・自覚症状と室温に関しては、床近傍の室温が低い住宅では、様々な疾病・症状（高血圧、糖尿病、骨折・捻挫、脱臼など）を有する人が有意に多いこと、身体活動量と室温の関係では、断熱改修に伴う室温上昇によって暖房習慣が変化した住宅では、住宅内身体活動時間が有意に増加したことなど、重要な結論が得られている。

おわりに

概説では、まず建築学の一分野である建築環境工学の特徴について述べ、次に環境的な観点から求められる条件、設備的な観点から求められる条件について示した。そして、建築環境工学は、構築環境が安全・衛生・健康・快適であり、経済性、省エネ性、耐久性等を条件として建築や設備が適切に設計・建設され運用されることを目的に、知識や技術が蓄積され体系化された学問であることを述べた。また、環境に関わる現代的な課題として、地球環境・資源問題、高齢者対応、室内の環境と健康問題、屋外の環境的課題、AI、IoTによる環境・設備の課題について概要をまとめた。最後に、建築環境工学に関連する分野についてふれた。

各論では、三つの現代的な課題について、あるべき環境とそれを実現すべき技術について、住宅の現場における環境とそれと関連する因子の詳細な観察に基づいて、その結論を導き出す手法、プロセスなどを示し、いずれも人との関わりが極めて大きく、工学だけではなく人文・社会的な観点からのアプローチが極めて重要であることを述べた。

課題の一つ、住宅のエネルギー消費問題では、まず我が国における住宅エネルギー消費用の推移、地方別の違い、先進諸外国との比較について示し、北海道を除けば、暖房用エネルギー消費量が少ないことが先進諸国との違いとして大きいことを述べた。そして、省エネルギーの方策の一環としての断熱気密化は、必ずしも暖房エネルギー消費の削減にはつながらないこと、それは、これまでの住宅では、暖房の使い方が空間的、時間的に限定されている一方で、断熱気密化された住宅では、全部の部屋を一日中暖房しているケースが多いことを述べた。即ち、省エネルギー化のための断熱の技術が、必ずしもエネルギー消費量には結びつかなかったという例であり、暖房の使い方という居住者の生活の仕方が大きく関与していることがその背景にあることを触れた。

次に、三つの住宅における年間エネルギー消費量の詳細測定の結果を示し、そのプロフィールの差は極めて大きく、住戸形態、家族人数、暖房設備の違いのみならず、住まい方の違いが大きく影響していること、即ち、技術的なハードの違いだけではなく、居住者の生活の仕方（ソフト）の違いの影響が極めて大きいことを述べた。そして、人の要素がエネルギー消費に及ぼす影響は大きく、人文･社会学的な観点から人の行動に関して研究することが省エネにつながる可能性が大きいことに言及した。

二つ目の課題は、シックハウスを含めた室内の空気環境問題である。シックハウス問題が顕在化した背景や問題を解決するために行われた研究の概要、そして防止対策について述べた。その中で筆者らが、医学、疫学、化学等の専門家と共同で実施した調査研究について触れ、現場での環境の詳細な実測、居住者の健康状態についての長期にわたる観察から、最も効果的な対策は、積極的に換気を行うことであり、また、化学物質が発生する家具や防虫剤・殺虫剤・ワックスなどの生活用品を排除することなどが効果のあることを述べた。シックハウス問題は、建物の気密化という省エネルギーにとっては有効な新しい技術が、室内環境の汚染を助長するというマイナスの影響を引き起こした例であり、新たな技術の適用に関しては、総合的な視点から評価が必要であることを述べた。更に、換気設備の設置は、法律上、義務付けられているが、現実問題としてダクト施工時のミス、メンテナンスの不備による換気風量の不足が報告されており、最新の技術だけがあっても機能が発揮されない例であるとし、工学を超えて倫理や行動科学の分野からのアプローチも必要であることを示した。

三つ目は、健康との関連を含めた室内温熱環境の問題である。まず、室内温度と脳卒中発症との関係に関して1982年以降に公衆衛生分野と共同で行った筆者らの調査研究を紹介した。その結果、暖房が行われていない部屋の温度が極めて低く、このことが脳卒中の発症の原因の一つではないかということを述べた。また、同じ町を対象に2015年に再度、調査したが、基本的には同様の結果が得られた。その理由としては、それは、居住者がその環境の下で長い間、生活してきており、特に不満を感じていないからである。

脳卒中の発症を防止するためには、低い温度が影響するという研究成果の情報発信を徹底して行うことであるが、そのためには、誰もが納得するエビデンスをしっかりと示すことが必要であることを述べた。それに関連して、最近実施された国土交通省スマートウェルネス住宅(SWH)等推進モデル事業の成果の一端を紹介した。

以上、建築環境工学は、関連する学問領域が極めて幅広く、現場の観察を主体とした研究のアプローチとして人文・社会的な観点を取り入れていくことが様々な技術と環境の問題解決に役立ち、またこの分野の学問の発展につながるものと考える。拙稿が関係各位の参考となれば幸いである。

【文献番号】

1）日本学術会議、土木工学・建築学委員会、土木工学・建築学分野の参照基準検討分科会、報告：大学教育の分野別質保証のための教育課程編成上の参照基準 土木

工学・建築学分野、平成26年、2014年3月
2）建築設備設計・工事監理業務の実状に関する調査委員会：建築設備設計・工事監理業務の実状に関する調査報告書、社団法人建築設備技術者協会、社団法人日本設備設計事務所協会、財団法人建築技術教育普及センター、平成13年8月
https://www.jaeic.or.jp/shiken/bmee/index.files/bmee-repo.pdf（2019年9月18日閲覧）
3）IPCC第5次報告書、電子版：WORKING GROUP I, Climate Change 2013: The Physical Science Basis, http://www.climatechange2013.org/
4）持続可能な開発目標（SDGs）推進本部：持続可能な開発目標（SDGs）実施指針、平成28年12月
https://www.kantei.go.jp/jp/singi/sdgs/dai2/siryou1.pdf（2019年9月18日閲覧）
5）環境省、電子版：地球温暖化対策計画、平成28年5月13日
https://www.env.go.jp/press/files/jp/102816.pdf
6）閣議決定：パリ協定に基づく成長戦略としての長期戦略、令和元年6月
https://www.env.go.jp/press/111781.pdf（2019年9月18日閲覧）
7）内閣府、平成27年版高齢社会白書（概要版）
http://www8.cao.go.jp/kourei/whitepaper/w-2015/html/gaiyou/s1_1.html（2019年9月18日閲覧）
8）環境省　文部科学省　農林水産省　国土交通省　気象庁、気候変動の観測・予測及び影響評価統合レポート2018、～日本の気候変動とその影響～、2018年2月
https://www.env.go.jp/earth/tekiou/pamph2018_full.pdf
9）吉野　博、長谷川兼一、阿部恵子、池田耕一、三田村輝章、柳　宇：児童のアレルギー性症状と居住環境要因との関連性に関する調査研究、日本建築学会環境系論文集、Vol.79、第695号、107-115、2014年1月
10）柳沢幸雄、石川哲、宮田幹夫；化学物質過敏症、文春新書230、文藝春秋、平成14年2月
11）海塩　渉、伊香賀俊治、安藤真太朗、大塚邦明：マルチレベルモデルに基づく室温による家庭血圧への影響－冬季の室内温熱環境が血圧に及ぼす影響の実態調査（その2）－、日本建築学会環境系論文集、Vol.80、第715号、703-710、2015月9月
12）大臣官房文教施設企画部：2019年度概算要求主要事項及び説明資料
［大臣官房文教施設企画・防災部（仮称）関係］
http://www.mext.go.jp/component/b_menu/other/__icsFiles/afieldfile/2018/08/30/1408721_05.pdf（2019年9月20日閲覧）
13）内閣府：Society 5.0、https://www8.cao.go.jp/cstp/society5_0/index.html
（2019年9月20日閲覧）
14）日本エネルギー経済研究所　計量分析ユニット編：エネルギー統計・経済統計要覧（2019年版2019年3月、一般財団法人　省エネルギーセンター
15）環境省：家庭部門のCO_2排出実態統計調査（家庭CO_2統計）、平成29年度家庭部門のCO_2排出実態統計調査（確報値）
http://www.env.go.jp/earth/ondanka/ghg/kateiCO2tokei.html　（2019年9月20日閲覧）
16）U.S. Energy Information Administration:2015 RECS（Residential Energy Consumption

Survey) Survey Data
https://www.eia.gov/consumption/residential/data/2015/index.php?view=consumption&src=‹ Consumption Residential Energy Consumption Survey (RECS) -b1#undefined
(2019年9月21日閲覧)
17) (株)住環境計画研究所によるデータ
18) 東北地方における断熱気密住宅のエネルギー消費量　－暖房用を中心とした実態調査と数値計算－、長谷川兼一、吉野　博、松本真一、日本建築学会計画系論文集、第557号、49-56、2002年7月
19) 西谷早百合、吉野博、村上周三、河田志穂：仙台市における住宅エネルギー消費量の実態調査―夏期のアンケート調査―、日本建築学会東北支部研究報告会、平成21年6月
20) 東北地方における住宅13戸を対象としたエネルギー消費量の詳細実測調査
吉野　博、三田村輝章、尾嶋雅也、千葉智成、謝　静超、中村香奈、松本真一、長谷川兼一、源城かほり、竹内仁哉、日本建築学会技術報告集、第20号、147-150、2004年12月
21) Haig, Ken Ken；Opower社の欧米でのエネルギー需要者 行動変容実績と日本におけるレッスン、BECC Japan 2014 発表公開資料、2014.10
https://seeb.jp/material/2014/download/2014BECC1-3Haig.pdf
(2019年9月21日閲覧)
22) 大澤元毅、池田耕一、林　基哉、桑沢保夫、真鍋　純、中林由行：2000年全国実態調査に基づく化学物質による住居室内空気汚染の状況、日本建築学会環境系論文集、第566号、65-71、2003年4月
23) シックハウスにおける室内環境と居住者の健康に関する調査研究　その2　宮城県内の30軒を中心とした住宅における長期継続観察－、吉野　博、中村安季、安藤直也、池田耕一、野﨑淳夫、角田和彦、北條祥子、天野健太郎、日本建築学会環境系論文集、第654号、705-712、2010年8月
24) 松本真理、吉野　博、池田耕一、野﨑敦夫、天野健太郎、飯田　望、鈴木憲高、角田和彦、北條祥子、石川　哲：シックハウスにおける室内空気質と居住者の健康状況に関する調査研究　その3　第2次調査の概要と室内化学物質濃度の測定結果、日本建築学会大会学術講演梗概集、D-2、929-930、2002年8月
25) 吉田真理子、吉野　博、池田耕一、野﨑敦夫、角田和彦、北條祥子、吉野秀明、天野健太郎、祢津紘司、石川　哲：シックハウスにおける室内空気質と居住者の健康状況に関する調査研究　その12　シックハウス対策の効果に関する検証、日本建築学会大会学術講演梗概集、203-2004、2006年9月
26) 一般社団法人日本建材・住宅設備産業協会、ホルムアルデヒド発散等級表示規定
http://www.kensankyo.org/kankyo/horumu/horumukitei.pdf
(20 19年9月21日閲覧)
27) 建築基準法第28条の2（居室内における化学物質の発散に対する衛生上の措置)、建築基準法施行令第20条の5（居室内において衛生上の支障を生ずるおそれがある物質）他、2003年7月施行

28) 国土交通省：平成16年度室内空気中の化学物質濃度の実態調査の結果等について（速報） http://www.mlit.go.jp/kisha/kisha05/07/070510_.html
(2019年9月21日閲覧)
29) 厚生労働省 医薬・生活衛生局 医薬品審査管理課 化学物質安全対策室：シックハウス対策、室内濃度指針値一覧表
http://www.nihs.go.jp/mhlw/chemical/situnai/hyou.html
(2019年9月21日閲覧)
30) 吉野　博　編著：住宅における熱・空気環境の研究－快適・健康な省エネ住宅の実現を目指して－、東北大学出版会、2012年3月
31) WHO Guidelines for Indoor Air Quality - Dampness and Mould、2009
32) 吉野　博、長谷川兼一、阿部恵子、池田耕一、三田村輝章、柳　宇：児童のアレルギー性症状と居住環境要因との関連性に関する調査研究、－アンケート調査結果を用いた健康影響要因に関する統計分析－、日本建築学会環境系論文集、Vol.79、第695号、107-115、2014年1月
33) 柳　宇、池田耕一：空調システムにおける微生物汚染の実態と対策に関する研究　第1報　微生物汚染の生育環境汚染実態、日本建築学会環境系論文集、第593号、49-56、2005年7月
34) 警察庁：平成30年中の交通事故死者数について
https://www.npa.go.jp/news/release/2019/20190104jiko.html
(2019年9月21日閲覧)
35) 厚生労働省：平成30年（2018）人口動態統計年報（概数）の概況、第6表　死亡数・死亡率（人口10万対）、死因簡単分類別
https://www.mhlw.go.jp/toukei/saikin/hw/jinkou/geppo/nengai18/dl/h6.pdf
(2019年9月21日閲覧)
36) 長谷川房雄、吉野　博、新井宏朋、岩崎　清、赤林伸一、菊田道宣、脳卒中の発症と住環境との関係についての山形県郡部を対象とした調査研究、日本公衆衛生雑誌、第32巻、第4号、181-193、1985年4月
37) 吉野　博、新井宏朋、岩崎　清、牧田一志、宮崎英子：積雪寒冷地の山形県八幡町における住宅の暖房実態と室温の4年後の変化、日本公衆衛生雑誌、第34巻、第12号、774-781、1987年12月
38) 吉野　博、籾山政子、佐藤都喜子、佐々木耕一：宮城県郡部における脳卒中死亡と住宅の冬期室温についての調査研究、民族衛生、第55巻、第6号、294-305、1989年11月
39) 貝沼拓哉、長谷川兼一、吉野　博、後藤伴延、細淵勇人、高木理恵：脳卒中死亡に関連する住環境要因に関する調査研究　その3　冬季における室内温度の実態と温熱環境の評価、日本建築学会大会学術講演梗概集、2016年8月
40) 長谷川兼一、貝沼拓哉、吉野　博、後藤伴延、細淵勇人、高木理：脳卒中死亡に関連する住環境要因に関する調査研究　その4　室内温度と血圧との関連性の分析、日本建築学会大会学術講演梗概集、2016年8月38
41) 吉野　博、長谷川兼一：高断熱高気密住宅における熱環境特性と居住者の健康に関する調査、日本建築学会計画系論文集、第507号、13-19、1998年5月

42) 岩前　篤：断熱性能と健康、日本建築学会環境工学本委員会熱環境運営員会、第40回熱シンポジウム梗概集、2010.10
43) 国土交通省スマートウェルネス住宅等推進調査事業 http://swhsurvey.jsbc.or.jp/ (2019年9月21日閲覧)
44) 住宅の断熱化と居住者の健康への影響に関する調査の中間報告（第2回）～スマートウェルネス住宅等推進事業の調査の実施状況について～ http://www.mlit.go.jp/report/press/house07_hh_000185.html

【註】

1　参照基準[1)]では、土木工学・建築学の定義として、「土木工学・建築学は、人類生存に欠くことのできない構築環境を計画・設計し、建設し、維持・管理し、自然環境との調和を図るための理論と応用、そして技術を学ぶ学問である。」と記述されており、建築学の定義として、本文の記述が追加されている。

2　建築環境工学との関連でいえば、17の目標の中で、特に3.すべての人に健康と福祉を、7.エネルギーをみんなに、そしてクリーンに、11.住み続けられるまちづくりを、12.つくる責任、使う責任、13.気候変動に具体的な対策を、15.陸の豊かさを守ろう、17.パートナーシップで目標を達成しよう、などが該当する。

3　本研究は国土交通省、東京電力、中部電力、関西電力、九州電力から委託を受け、（社）日本建築学会に設置された「住宅内のエネルギー消費に関する全国的調査研究委員会（委員長：村上周三慶應義塾大学教授（当時））」の活動の一環として平成13年度から平成16年実施したもの。

4　昭和55（1980）年に「エネルギーの使用の合理化に関する法律」（通称：省エネ法）が制定された。この法律に基づく2つの告示、「建築主の判断の基準」と「設計施工の指針」が省エネルギー住宅を建てる目安の基準になっている。

5　TVOC（Total Volatile Organic Compounds）は総揮発性有機化合物の略称。室内濃度測定で分離定量された複数のVOC総計。厚生労働省の暫定目標値として400$\mu g/m^3$とされている。

第二部

第五章　「哲学する」ということ
――「未在の自己」への問いかけ

座小田　豊

はじめに

哲学が私たちの文化のもっとも古く、そして根底的な知の営みであることについては、おそらく洋の東西を問わず異論はないだろう。人々は何よりもまず、この世界の成り立ちを読み解き理解し、その秘密・根拠を知ろうとし始め、その知の意味を捉えんと欲し、この営みを「知を愛すること」、すなわち「哲学」と称してきた。それは何よりも、どこから来て、どこへ行こうとするのかという、自分自身の在り方を確認するためでもあったであろう。広大な星めぐる天におおわれた「ここ」、そして「今」の自身の居場所をどのように見定めるのか、哲学の始まりは、おそらくそのような、己の「在り処」を訪ねる、ある意味素朴な不安な想いではなかったか。

その哲学が、古臭く、そして面倒な営みであるのは、このような覚束ない人間の出自と問いの根本性の然らしめるところであると言うべきであろうが、かといって時代遅れであるのか、と問われるなら、もちろん、けっしてそうではない。むしろ却って常に新しく、さらには革新的でもあると言わなくてはならない。なぜかといえば、哲学とは何よりも、それぞれの時と所に生きる人々によってその都度新たに現在的に担われる活動そのもののこと、すなわち「哲学すること」にほかならないのであって、問いの根本性のゆえに、過去、そして将来の、いつの日かの誰もが、同じ問いに苛まれ、翻弄されるからである。

知るという営みは、一人ひとりの人間による、つまりはこの「私」による働きであって、けっして他の人に肩代わりをしてもらえるような類のものではない。当然と言えば当然のこうした事態は、だがしかし、必ずしも自明であるとは言えないようである。たとえば、日本各地の大学の図書館には、古今東西の膨大な「知」が備え付けられているし、今日ではネット上に膨大な知が集積されていて、正確さ云々は別にして、いつでも気ままに検索することができる。ことほど左様に、「知」は公共的なものとして貯蔵施設に蓄積されていれば十分だとさえ考えられていはしないだろうか。そして、「哲学」もまたそのようなところに「ある」のだと。

しかしこれは、私たちの「知」や「知ること」とは本質的に無関係である。「知」は、意識する人に現在的に働いていて初めて意味をあらわにするものだからである。たとえば、1）いかに優れた哲学書であれ、それを読む私たち一人ひとりの知の働きの場面で受け止められなければ、存在意味はない。そこに資料としての哲学は存在していても、言うまでもなく「哲学」そのものも「哲学すること」も存在していないからである。しかし、他方で、2）「哲学すること」は個々人の営みでありながら、それが「哲学」であるためには、同時に普遍的な、しかも最高度の「知」の働きでなくてはならない。「哲学」は最も普遍的な知の在り様においてこそ現れるもののはずだからである。

このような、個としての営みであると同時に、高度に普遍性を持たなければならないという、この両者はどのように結び付くのだろうか。この点については、第2節で、カントの言う、「哲学は学ぶことはできない。哲学することを学ぶことができるだけである」という文言を解釈することを通して、詳らかにしたいと思う。それに先立って、先ずは第1節で、「哲学とは何か」という基本的な問いに応えるべく哲学史を紐解いてみる。そして第3節に進んで、表題に掲げた「哲学すること」と「未在の自己」との関わりを解き明かすことにしたい。「哲学すること」が何であるのかは、さしあたっては誰にとっても分明だとは言えないだろう。むしろ、その呼称によって多くの人は煙に巻かれた気持ちにさせられることであろう。その気分を、「未在の私」という概念を手がかりに和ませられないものかどうか、と思う。その上で、第4節で、ヘーゲルの『精神現象学』の発想に基づきながら、「哲学すること」の人文学的な、それゆえ、本書の現実的な課題について考察する。なぜ哲学なのか、その理由を明らかにすることが、ここでの課題である。それによって、「哲学すること」が「哲学」への、人文学への、さらには人が人であることへの手掛かりになりうる事態を浮かび上がらせてみたいと思う。そして最後に、ソクラテスの「遺言」と思しき、有名な、「哲学は死の練習である」という文言を読み解きほぐしながら、「哲学すること」のヒューマン・サイエンスとしての役割について考えて本章を終える。

第一節　哲学とは「アルケー」の探究である？

「～学とは何か？ What is any-science ？」――これは、いずれの学問・科学にとっても、もっとも初歩的な、それゆえ基本的な問いであろう。この問いによって哲学に関しても多種多様な答えや定義が様々に語られてきた。しかし、それだけに一義的に答えるのは容易ではない。何よりも、その問いを問う人が自ら納得することが大切であるが、その納得の在り方・仕方もまた、人様々でありうるからである。それはなぜなのか。こと「哲学」に関しては、納得する、つまり、理解して得心する、その在り方が、その人の理解の幅や深さに左右されるからである。事程左様に、人それぞれに、様々な場面で、その人の「哲学」が語られるという状況が現出することになる。

とはいえ、古来哲学の定義として、ある一定程度の共通認識が存在してきたことも事実であろう。西洋では、古代ギリシアの自然哲学者たちが立てたとされるそれが、最も古く、そして形を変えながらも、長く受け継がれてきたもののひとつである。

曰く、哲学はアルケー ἀρχή : arche の探究である。

「アルケー」とは、最も代表的なオックスフォードのギリシア語－英語辞典[1]からその意味するところを二つ拾うなら、「1. beginning, origin, 2. first principle, element」である。つまり、「始まり、始源、第一原理、第一要素」を探究するのが、哲学の役割とされてきたのである。

ここに言う「始源」「原因」「理由」「根拠」などの意味は、哲学者たちにとって、世界の根本的な理解のために求められてきた「原理 principle」のことにほかならない。哲学者は、何よりも基本的に原理・原則を、古くは存在の側面から、近代以降は特に認識の側面から探究してきたが、いずれの場合も、「存在のアルケー」や「認識のアルケー」が追究されてきたのだと言えるであろう。どちらの場合も、その「実体」や「本質」、そして「根拠」が尋ねられてきた。例えば、古代ギリシアのプラトンの「イデア」、アリストテレスの「ウーシア：実体」や、キリスト教世界の「デウス：神」、そして近代のデカルトの「コギト：考える私」などを挙げることができる。いずれも、差しあたっては私たち人間も含めた存在や存在者の「根拠」、いわば第一原因、アルケーが問われるわけである。

とはいえ、それを問いさえすれば、哲学がそこにある、というわけではない。それが「イデア」と呼ばれ、「神」、「コギト」と名指されるに至る方法と概念的な内実が重要になる。プラトンのイデアは、真の実在として永遠の世界のものであり、対するにこの世界の一切はその影または似姿（エイコン）であって、かりそめのものとされたのであった。アリストテレスのウーシアは、それだけが唯一「それ自身によって」存在するがゆえに、自身以外に原因を必要としないものであり、したがって、「神的なもの」とも「存在としての存在」ともみなされたのであった。そして、「神」が第一原因とされる理由は、神が無からこの世界を作ったという、あの創造説ゆえである。「無からの創造」を行うがゆえに、因果関係が前提されるこの世界を超越して、唯一その関係を免れうるばかりか、その根拠とみなされるのが「神」だからである。また、コギトが第一原因とされるのは、すべてのものや事に懐疑の眼差しを向ける私の思考（すなわち、コギト cogito ＝私が考える）が、何はさておきまずは働いていなくてはならないからである（「私が考えている限り、私の存在は確実である」『省察』第２省察参照）。「存在するもの・延長するもの res extensa」に対して、「考えるもの res cogitans」が一方の「実体」と見なされるのである[2]。

ものや事の根拠、第一原因を探究する、とりあえず哲学の役割はそのように定義することができるだろう。先ほど挙げたように、私たちの周りで、ある人の「〜の哲学」が語られる際、その多くは「〜の」道の奥義に達したことを指してそう言われるのは、そのためであって、それはそれで正当であろう。しかし、とりあえず、というのはほかでもない。奥義を究めること、これは「哲学」としての必要条件であって、それだけでは無論十分ではないからである。「〜の」道は、そしてその奥義は、一体何のために求められなくてはならないのか、がさらに問われなくてはならない。ならば、あらゆる人間の営みは、結局のところ何のためなのか。問いをこのような形で突出させるなら、「人間とは何か」と、人間そのものの本質を尋ねるためだ、と答えることができるだろう。そしてさらに、現に生きている現実のこの時この場面で、「人間とは何か」と問うためだ、と。それは、考える私たち一人ひとりが、自分が「人間であること」の証を立てるためだと言いかえても良い。なるほど、人は生まれながらに「人間」ではあるものの、おのれを問いかける人にとって、「人間」それ自体が問いの対象になるはずである。自分は一体どのような人間なのか・どのような人間になろうとするのか、と自問せずにはいられない。この問いを自らに投げかける時、そこに初めて人間の真実の「姿」への問いかけが、つまり「哲学すること」が現れることになるであろう。問いを徹底して、自らに深く問いかけるようになって初めて「哲学」に触れることが可能になると見るべきなのである。もちろん、その遂行は決して容易ではない。

このことを改めて考えてみるために、次節で、カントの有名な文言、「哲学は学ぶことはできない、哲学することを学ぶことができるだけである」を手がかりにしてみたい。カントも自己への問いを「哲学」の根底に置き、その難しさを「地獄への道行き」と評していたのである。

第二節　「哲学を学ぶことはできない」とは？

カントの上の文が意味するのはどのようなことなのだろう。この言葉が含まれるのは彼の主著『純粋理性批判』[3]のほとんど終わり近く、「第2部超越論的方法論・第3章純粋理性の建築術」である。カントはこの章で哲学を、「諸々のシステムの術 Kunst である建築術」にたとえ、「純粋理性に基づくすべての認識の建築術を構想する」試みだとする（B860）。つまり哲学は「ひとつの理念のもとでの多様な認識の統一であるシステム」（ibid.）のことだというのである。私たちのような哲学研究者は、最初に哲学を学ぼうとする際、過去の哲学者の思想を事細かに読解する訓練から始める。それは、カントの言う哲学というシステムを、いわばバラバラに、良くいえば解きほぐし、悪くいえば解体して訳の分からない代物にしてしまう作業だと言えるだろう。ところが、そのバラバラの部分を全体として元に戻すことは、いってみれば、厄介この上ないことである。たとえば、ある哲学者の著作のたった一つの文章の解釈をめぐってさえ、何時間も、時として何日も頭を悩ませることがあるが、それはたったの一文でさえも全体の文脈のなかに置いて納得して理解することが困難だからである。ある哲学者をほぼ理解したと思えたとしても、それが正確なのかどうか、確かめるすべを見つけ出すのも、実に至難である。もしもそれが可能になったとしても、カントは、そんなものは「哲学」ではない、と一蹴する。

カントは「ある哲学体系、例えば、ヴォルフの体系を、…文字通り学んでしまった人がいるとして、その人はやはりヴォルフ哲学の完全な歴史的認識以外の何ものももっていない。彼は自分に与えられたものしか知らないし、判断していない」と述べ、さらにこう続けている。「その人は他者の理性に倣って自分を形成したが、しかし、模倣する能力は産出的な能力ではない。すなわち、認識は彼にあっては理性から生じたのではなかったのであって、たとえ客観的にはそれがもちろん理性認識であったとしても、それはやはり主観的であり、単に歴史的にすぎないのである。彼は良く把握し記憶し、つまりよく学んだが、彼は生きている人間の石膏模像なのだ」(B864)。その人はただヴォルフ哲学に関する知識を持っているだけで、自分で考えることができていないがゆえに、「人間の石膏模像」だというのである。カントによれば、大切なのは、「理性の普遍的な源泉、すなわち諸原理から汲み出された理性認識であって、この理性の源泉に基づくからこそ、学ばれたことの批判さえも、それどころかそれを拒否することさえも生じることができる」(B864f.)のである。ここで言われている「理性の普遍的な源泉」とは、カントがこの著作の中で最も重要視する「純粋理性の理念」のことであり、「すべてのものの根源的根拠としての最高の存在者」(B669)、すなわち「神」という理念のことである。この源泉に到達できていなければ、そしてそこに基づいて認識の体系を構築するまでにならないと、「哲学」を学んだことにはならず、言ってみれば、自分で勝手にでっち上げた哲学の「模像」と戯れているだけだというのである。

哲学とは、カントによれば、「具体的にはどこにも存在していないような可能的な学問という、純然たる理念」(B866)のことであって、「そこに到達するまで人は、いかなる哲学も学ぶことはできず、…ただ哲学することを学ぶことができるだけである。すなわち理性の才能を、理性の普遍的な原理に従いながら現存するある種の試みに即して練習することができるだけである」(ibid.)。一般に私たちは、「認識の論理的完全性以上のものを目的することがない」ような「学校概念」としての「哲学」に触れているだけで、「一切の認識が人間理性の本質的な諸目的に対して持つ関係についての学」である「哲学」にまで思いが至っていないというわけである(B866f.)。これは相当に厄介な難題である。

改めて先の一文を正確に引いてみよう。「それゆえ、すべての(ア・プリオリな)理性の学のうち唯一学ぶことができるのは数学だけであって、しかし哲学 Philosophie は決して学ぶことはできない(できるとすれば歴史的なものになるだろう)。理性に関しては、学ぶことができるのは、せいぜいのところ哲学すること philosophieren だけである」(B865)。「理性の学」に関しては、哲学の歴史を紐解いて、「哲学」とは何かという知識を得ることができるにすぎないのだが、それで「哲学」を理解できたとか、さらには自分で「哲学」をしていると勘違いするのであって、決して自分の「哲学」を所持できたということになるわけではない、ということである。なによりも、「哲学する」態度や姿勢を学ぶことで、「哲学」に近づけるのだが、しかしいくら人の「哲学」を学んでも、それは客観的な意味での哲学そのもの（つまり、純粋理性の理念に基づいたもの）ではないのであって、せいぜい「哲学すること」、つまり「哲学」の主観的なまね事にすぎない、というのである。先ほど挙げたように、カントが哲学を「諸々のシステムの術 Kunst である建築術」だと、そして「ひとつの理念のもとでの多様な認識の統一であるシステム」だと述べていたことを思い起そう。これをおいそれと体現できるわけでないことは、理解しやすい道理であろう。まして、それを実際に遂行できる人、すなわち「哲学者」は、もちろん稀であるに違いない。

付言しておくと、数学が哲学と区別される理由は、カントによれば、数学においては客観的と主観的の区別がなく、「理性の使用が、具体的に、にもかかわらずアプリオリに、すなわち、純粋な、まさしくそれゆえに過つことのない直観に即して行われる」（ibid.）からである。以上のように、カントは、哲学にかかわる通常の人を「理性の技術者 Vernunftkünstler」と呼び、そうした人たちが「自分自身を哲学者 Philosoph と称して、理念の内にだけ存在している原型と同等になったと思いあがるのは、自慢の度が過ぎると言うべきであろう」（B867）と非難するのである。数学がとても良くできて、人にも上手に教えられる人が数学者だと自他ともに認め認められることができるだろうが、哲学のことを良く知っている人が「哲学者」を自称したり、呼ばれたりすることは、まったくの見当外れなのである。

カントが 1797 年の『道徳の形而上学』で次のような印象的なことを述べていたことを、ここで引いておこう。「汝自身を認識せよ（探究せよ、究明せよ）！汝の自然的な完成（汝にとって任意の、あるいは汝に命じられた目的に関して役に立つか、立たないか）という基準に従ってではなく、汝の義務に関する道徳的完全性という基準に従って。……/より一層究め難い心の深み、すなわち、心の深淵にまで迫ろうとする道徳的自己認識こそ、すべての人間的知恵の始まりである。というのも、ある存在者の意志が究極目的と一致するところに成り立つこの道徳的自己認識は、人間においては、何よりもまず（人間のうちに巣くっている悪しき意志という）内的な障害を取り除くことを、次いで、人間の内なる善意志という、けっして失われえない根源的な素質を展開することを必要とするからである。自己認識という地獄の道行きのみが、神化への道を開く」[4]。最後の一文は、同郷の先輩の、北方の賢人と称されたハーマンからの引用であるが、ソクラテス以来の哲学のスローガンのひとつである「汝自身を認識せよ」を掲げながらも、その道の並々ならぬ険しさを、「地獄の道行き Höllenfahrt」という言葉に託したカントの想いは、レトリカルなものにすぎないはずがない。「心の深淵に迫ろうとする道徳的自己認識こそ、すべての人間的知恵の始まりである」という表現と重ねてみるなら、その道行の激しさ、そして厳しさを強く訴えていることが良く分かる。

『純粋理性批判』の初版（A版）と2版（B版）の序文の文言を拾って、言うなら、「哲学」は「自己認識」という「理性のあらゆる仕事のなかで最も困難な仕事」（A XI）を担うものであって、理念を目指す「根底性 Gründlichkeit という精神」をもってして「批判といういばらの小道」を辿る難行苦行の道行きにほかならない（BXLIII）。まさしく『純粋理性批判』という作品それ自身がその精華であったと言うべきなのである。

「心の深淵」の前に立ち止まり、そして立ち尽くすカントは、しかし、けっして「自己認識」を放棄したわけではない。その困難さを、まさしく真摯に受け止め、おのれの可能性を賭して克服しようとしたと見るべきであろう。それにしてもなぜ「自己認識」がそれほどに厄介なのか。

第三節 「未在の自己」への問い

ある春の晴れた日の午後、野原に一人寝転んでいる自分を想像してみよう。そのようなとき、私たちは何を思うだろうか。自分を取りまくこの世の様々な事柄や、人々、そしてこの自然の世界のことであろうか。あるいは、自分にまつわる過去と現在、将来のことだろうか。もちろん、年齢や、その時々の状況の違いによって、廻る想いも様々であろう。がしかし、流れる雲を見ていると自然のなかの自分が、つまりは自然とのかかわりが一番強く意識されるように思われる。自分がこの世界にあることの不思議に打たれるかもしれない。たとえば、私は一体どこから来て、どこに行こうというのか、というように。そうした想いを、雲の流れゆく空と野原を吹き過ぎる風が大らかに受け止めてくれるなら幸いと言わなくてはならない。私たちの誰もが心の奥底で、いつも何かを求め続けている。それが何であるのか分からないままに。なくてはならない、あって欲しいその何ものかのことを、心の、いのちの、拠り所と言えば良いだろうか。

空になる　心は春のかすみにて　世にあらじとも　思い立つかな

(西行『山家集』)

いつのころからか、私の心に住み着いている西行の歌である。「世にあらじとも」という七文字に、この世に寄せる西行の微妙な想いが偲ばれる。春の霞のように風に身を任せ、軽やかに浮んで空とひとつになりたいという願望がふと頭を過ぎる。それは恐らくこの世との別れを、つまりは死を意味することになるやもしれない――「世にあらじ」、いやしかし、そんな思いをなおも打ち消すかのような――「とも、思い立つかな」(そんなことを思ったりする私がいる)と意識されるのである。わけのわからない私が、確かに、この私に意識される。分からないけれども、確かにここにこうしてあり、何かを求めているこの私、これが、やがては「私」として現実化してくるはずのものの起源となりうるように思われる。これを私は「未在の自己」と名づけたいと思う。

人は、この「未在の自己」ゆえに人であり、この「未在の自己」を通して人になる、そのように思う。ただし、「未在の自己」はいつまでも未在のままにとどまりつつも、その私の志向によって絶えず変貌しながら、徐々に現実化していくもののはずである。私のすべてが完全に私として意識化できるわけでもないし、そんなことが可能なら、私は却って「空っぽ」になってしまうだけであろう。結局のところ「未在の自己」ゆえに私は私を保持し続けることができるのだから。もとより、それをそのままに放置し続けるというのではまったくない。「自己」への問いが絶えず私を突き動かし、「未在」を「現在」へと転換すべく駆り立てることになる。言ってみれば、「空になる」ことができるはずもないと知りつつも、それを志向するよう掻き立てるのが「未在の自己」である。それこそが「私」の「自己」の究極の拠り所、すなわち「根源」なのかもしれない。

「私は私である」という自明性からすると、なんとも曖昧だと思われるかもしれないが、しかし、意識する側の「私」こそ、実は思っているほどに分明ではないのではないか。意識される側の「私」が、たとえ歪んだり、捻じれていたりしているとしても、少なくとも何らかの形ですでに現実化している(意識化されている)のに対して、意識する側の「私」には、常になお「未在の自己」が揺曳しつつ作用しているからである。それは未だ存在するに至っていない「自己」、いわば未知数の自己、可能性・潜性態の自己とも言えるだろう。ということは、結局は実現しないままにとどまるほかはないという不可能性を宿しているということになるのだろうか。いや、けっしてそうではあるまい。恐らくは「未在であり続ける」が故にこそ、可能性の源泉として私たちの意識の原点ともなりえるのだと言うべきではあるまいか。その意味では、「見果てぬ夢」の抱懐者と呼んでもよいのかもしれない。

いささか前のめりするように「未在の自己」へと話を進めてしまったが、ここで、今あるわたしたち自身の「現在的自己」に目を向けてみよう。その中で、まず留意すべきなのは、私たちのものの見方・理解の仕方には、常に限界・制約が伴っているということである。いわゆる「先入見」である。分かりやすい事例として、近代初めのイギリスの哲学者フランシス・ベーコンが『ノヴム・オルガーヌム』[5]の「アフォリズム第1

巻」のなかで挙げている、イドラ（idola：偶像・先入見）を簡単に紹介してみよう（以下文中の数字は同巻の節番号である）。ベーコンが挙げているイドラは次の4種類である。(1)「種族のイドラ　idola tribus（41）」、(2)「洞窟のイドラ　idola specus（42,58）」、(3)「市場のイドラ　idola fori（43,59）」、(4)「劇場のイドラ idola theatri（44,61,62）」。読んで字のごとくなのだが、(1) は「種族」によって、人種的・文化的に異なるものの見方が存在すること、(2) は個人は自分が入っている「洞窟」の中から見えるものを見ているということ、(3) は「市場 forum」において好んで流通したり排斥されたりするものがあるが、その見方に染まっていること、そして (4) は「劇場 theatrum」でもてはやされたり貶められたりする先入見に左右されること、である。いずれ今日でもよく見てとれる先入見であろうが、それだけ私たちは先入見に左右されているということでもあるだろう。

こうした事例を挙げたのはほかでもない。私たちが自分自身の考えだと思っているものやことのほとんどが、これと同種の、いわば他者たちや社会の歴史的・文化的な慣習によって刷り込まれたイドラではないのか、ということに注意を向けてほしいからである。つまり、そうしたイドラに左右されているのなら、一体「自己」や「自己認識」でさえも、同様のイドラではないと、どうすれば主張できるのか、ということである。「自己」と「人間」という概念を例にとろう。私たちは「自分が自分である」ことの、「自分が人間である」ことの根拠をどのようにして確保できているのだろうか。「自己認識」の困難さの経験は誰しものものであろう。というのも、そもそも「人間」をどのように考えるのか、は決して一義的ではないはずだからである。自分自身の経験に照らしても、「自分は人間である」ことは当然の前提だと考えるとしても、何をもって「人間」と見るのかは、実際のところ、人それぞれと言ってもいいほどに違いがありそうである。誰もが一定程度のイドラに潤色された「人間観」をすでに自分のものにしているであろうが、それを確定的なものとして主張しうるに至るのがどれほど難しいかは、容易に経験できるだろう。言ってみれば「既知の人間観」と「未在の人間観」との、したがって「既知の自己」と「未在の自己」との狭間に私たちは常に佇んでいて、後者に促されつつ、前者を検証するという関わり方をしているように思われる。こうした先入見のことを考慮に入れるなら、逆説的に聞こえるだろうが、私には、「未在の自己」ゆえに、「自分が自分であり得ている」のではないか、と言えるように思えるのである。それあるがゆえに、他のものやどのような先入見にも未だ染まっていない「自己」を認めることができるのではないだろうか。もちろん、それすらもイドラではないかと言われて、それに反論することは容易ではないのだが。なぜなら、それ自体が、「隠されたままに」終わるほかはないものかもしれないからである。

こうした自己の探究の道程を描いている好適の哲学書がヘーゲルの『精神現象学』である。

第四節 「私」と「私」の間にあるもの[6]

「既知の自己」と「未在の自己」、どちらも「私」には違いない。ただ、後者は未だ確として「私」とは断言できないままであるし、前者もどこまで「私」なのか。ヘーゲルの『精神現象学』はこの狭間に「哲学者」としての著者たる自分を介在させることで、叙述を進めていく。この書物は、自然的意識が「意識」、「自己意識」、「理性」、「精神」、「宗教」という「宿駅」を遍歴し、次第に「経験」を深めながら「絶対知」へと至るという構成をとるが、本来の主人公は、「自己が自己である」という自己を確信する意識、すなわち「自己意識」である。その都度の「経験」の質と内容は、自己意識それ自身が到達している段階の立場によって異なってくる。いわば「既知の自己」のそれまでの経験がその段階での理解可能性を担保する、というわけである。この構造を端的に表している文を引いてみよう。

「意識の本質の根源的な内容は、なるほど、意識がそれを現実化してしまったときにはじめて意識にとって存在するものとなる。しかし、意識の内部でのみその意識にとってあるようなものと、意識の外部に即自的に存在する現実との区別は脱落してしまっている。——意識が即自的に何であるのかということが意識にとってあるようになるためには、意識は行動しなければならない。行動するということはまさしく、意識として精神が生成することである。/したがって、自分が即自的に何であるのかを、意識は自分の現実から知るのである。だから個人は、行為によって自分を現実にもたらした後でないと、自分が何であるのかを知ることができない」[7]。

ここに言われている「意識それ自身の現実化」こそが「経験」ということの意味である。それはまた、カントの言う「哲学すること」でもある。この「経験」を介して、意識そのものに内在しているものと、意識外部の現実との区別が消失し、「意識の本質の根源的な内容」が、意識それ自身に自覚的に捉えられるようになる。この「根源的内容」は、実は「経験」を可能にするものとして、出発の時点にすでにして「即自的に」抱懐されていなければならない。そうでなければ、そもそも経験が始まらないし、しかもその経験を通して、すなわち「行為によって自分を現実にもたらす」ことによってこそ、自分が何であるのか、その「根源的内容」が自分のものとしてその都度新たに自覚されていくわけである。つまり、これこそが将来的に現実化されるべきものとしての「未在の自己」である。これあるがゆえに意識は「経験」を重ね、ほかでもない「自分自身」をわがものとすることができるようになる。しかも経験の方向を指し示し、全体を見渡すものとして、著者が存在する。ヘーゲルはそれを「われわれにとって für uns」というタームで表現する。卑近に過ぎる比喩かもしれないが、これは、子供の成長を見守る親の眼差し、だと言っても良いかもしれない。現にヘーゲル自身がこの書の序文でこう述べているからである「胎児もまた確かに即自的には人間であるが、しかし、対自的にそうなのではない。胎児が対自的にもそうであるのは、自分が即自的にそうであるところのものへと自らを形成してしまって gemacht hat いる、自己を形成 gebildet した理性の持ち主としてのみのことなのである」(Bd.3, S. 25.)。胎児が「即自的に人間である」とは、やがて成長して人間になるということはもちろん、すでにその段階で人間としての本質を潜在的に備えており、その本質がおのれ自身を展開し成長すべく働きかける、ということである。

以上の論点を「私（A）は私（B）である」という、きわめて一般的な命題のなかに投げ入れてみたい。（A）の「私」と（B）の「私」は、言うまでもなく、同じこの「私である」。ところが、まったく同じなのか、と言えば、そうではない。（A）が（B）を「私」であると同定する、いわば主体的な位置に立つのに対して、（B）は客体的な位置に立つ。とはいえ、それだけではない。（B）は（A）を誘導しうる「未在の自己」でもありうる。つまり、（B）たらんとするよう、（A）を誘引し、（A）もまた（B）を進むべき目標として想定することができる。もちろん以上のこうした関係はまったく反対にも見ることができるだろう。主体である（B）が（A）を客体として、あるいは目標として設定することもありえようし、したがって、（A）の方が「未在の自己」となることもできるだろう。いずれにしても、「私は私である」の（A）と（B）の「私」の間に、この私の自己同定の可能性が存在しているということである。だとすると、単なる同語反復ではなくて、（A）と（B）がどのように位置づけられるのかという――いわば「根源的な内容」としての「私」と、現象する「私」との狭間の――問題においてこそ「私」の真実の「経験」が成り立つのだと言うべきではないか。この関係をヘーゲルは実体＝主体論という考えを提示する中で次のように明確に述べている。

「生き生きとした実体 die lebendige Substanz は、さらに、存在である。この存在は、真実には主体であり、あるいは同じことだが、自分自身を定立するという運動であり、あるいは、自分が［にとって］他となることを自分自身と媒介する運動 die Vermittlung des Sichanderswerdens mit sich selbst である限りでのみ、真実現実的である存在である。この実体は、主体として、純粋で単一な否定性であり、まさにそうであるがゆえに単一なものの分裂であり、あるいは対置された二重化である。この二重化は、さらに、こうした没交渉な差異性の否定であり、かつこの差異性の対立の否定である。こうした自らを再興する同等性、あるいは、他在において自分自身のうちへと反省すること die Reflexion im Anderssein in sich selbst こそは、真なるものである。――そもそものはじめの統一態そのもの、もしくは無媒介の統一態そのものはそうではない。真なるものとは、自分自身が生成することであり、円環――つまり、自らの終局を自らの目的として前提しており、始元としてもっている、そして、実際に遂行することと自らの終局を通してのみ現実的である円環――なのである」[8]。

実体が主体であるとは、主体が自らの本質を現実化していく「遂行」の円環全体に、実体が常に、「自体的な本質」・普遍的な契機として、端緒から随伴しているということである（an sich）。もちろん、実体がその主導権を握っているというのではない。主体が個別性としてのおのれを意識することで、実体との差異性を自らに受け止め、つまりは個別性でもあれば普遍性でもあるとしておのれを二重化し（für sich）、そのうえで主体としての自分が、他なるものたちとのかかわりのなかで、普遍である実体との関係を、いわば再構築していく（an und für sich）。この運動は、最初に主体の本質として実体がありさえすれば、それで可能だというのではない。むしろ主体それ自身が端緒から実体との差異性を自らの不可避の在りようとして受け止めるべく意識的にその都度の自分に可能な「真理」を自らのものとしようとすることによってのみ、したがって、実体が「否定性」として働いて主体を突き動かすからこそ可能になる。つまり、「私」は「私」である、の前者の「私」と後者の「私」の間の同一性と差異性に私が気づくことによって、実体と主体との交互作用のただなかで、主体たる私が「未在の自己」を現実化していくということである。上の引用文でドイツ語を挿入しておいた、「自分が［にとって］他となることを自分自身と媒介する運動」といい、「他在において自分自身のうちへと反省すること」というヘーゲル独自の論理を表す語句が、そのことを明確に指示している。「既知の自己」と「未在の自己」とがこの論理を介して、自らの本質を現実化させていくのだと言うことができるだろう。

ヘーゲルがこの現実化のプロセスのことを「教養形成 Bildung」と名づけていたことを指摘しておかなくてはならないだろう。それがまた、人間の文化の歴史的展開と重ねて理解されていることも重要である。『精神現象学』において、自己意識の発展がヨーロッパの歴史的文化の諸形態の展開と重ねて叙述されているのは、人間個々人の意識的成長、すなわち「教養形成」が、文化形態の諸段階と相即すると考えられているからである。私たちも今直面している困難な問題についての解決のヒントを、歴史の出来事や事件、あるいは先人たちの事跡に求めることがあるだろう。彼らはその時どうしてあのような行動をとったのか、その理由や原因、あるいは根拠を参考にして、自分自身の行動や思想の手がかりにするというのは、歴史好きの人たちの常套手段であろう。人は、自身の重要な岐路に立ったとき、文化史的なデータを材料として、自らの来し方を想い起し、そして行く末を思い描きながら決断するのではないか。そうした行為の全体を、人生という時間のなかに置いて俯瞰することができるなら、そこに「教養形成」の跡を辿ることができるだろうが、ヘーゲルはその航跡を辿る行為のことを「想起・内面化 Erinnerung」と呼んでいた。文化の歴史という過去を振り返り、来るべき将来の姿を思い描くためには、自らの「教養形成」の足跡を克明に想起する「内面化」が不可欠だからである。それを可能にするのが「経験」であり、そして「未在の自己」の現実化を追究する「哲学すること」なのである。

おわりに　哲学は「死の練習」か？

「哲学すること」とは「未在の自己」への問いかけであるという、本章の表題について論じる地点に到達した。もちろんこれまでに、すでにそのおおまかな輪郭は論じてきたと思うが、ここで改めて総括することにしたい。

第１節で、哲学はアルケーの探究であるという、哲学の歴史的な起源に関する考え方に触れた。アルケーという、存在するものの起源の探究を、哲学はその使命とするというのである。ところで、この探究が思っているほど容易ではないことは、哲学者たちの営為を振り返ってみれば、自ずと明らかである。まさしく、カントが言うように、「哲学」に到達した哲学者たちによってならばこそ、その困難さは明確に自覚されていたはずだからである。たとえば、スピノザがあの『エチカ』の末尾に記した、「されば、とりわけて光輝あるものはすべて、困難であると共に稀でもあるのだ Sed omnia praeclara tam difficilia, quam rara sunt」という言葉も、そのことを如実に物語っている。「幾何学の方法」に模した叙述方法に従って、「いきなり」神の定義から出発する『エチカ』が、そのために囂々たる非難の的となったことは歴史の示すとおりである。スピノザが死後一〇〇年以上にわたって「死んだ犬」のような扱いを受けたことは歴史的な事実である。なぜ、スピノザは「神即自然 deus sive natura」と言ったのか。『エチカ』のシステムを構築する困難さを彼はまさしく上の言葉に託し、吐露したのではなかったか。

なぜ哲学者たちは、そのような困難な課題を担おうとするのだろうか。今言えることは、彼らはみな、人間誰にとってもの不可避の問いである、自らの来し方と行く末、自分の根源と目的を見定めたいと願った、ということである。そしてこの問いは、また、「人間とは何か」、「人間性とは何か」という形で変奏されてきたのである。未だ見定められていない自らの「人間性」の本源からの、そしてその本源への問いに誘われて、「人間」である証を立てるべく、思索を重ねる。その思索の営みこそを、カントは「哲学すること」と名づけていた（第２節）。ただ、それが常に途上のものであるほかはないことを言わんとして、彼は「哲学を学ぶことはできない、哲学することを学びうるだけだ」と述べたのである。

言うまでもなく、生は、死に至るまでは、常に途上にあるほかはない。しかし、無論死は生の終りではあっても目的ではありえない。そして、こと死に関しては、いかにしてそれに対面しうるのかということだけが、いつであれ途上にある私たちの取りうる最終の問いであろう。あのソクラテスは、自らの死に臨んで、「ただしく哲学している人々は死ぬことの練習をしているのだ」と語ったという（プラトン『パイドン』(67E))[9]。いわゆる「哲学」は死の練習である、という有名な譬えである。その意味は、しかし、今日の私たちがそれを耳にして思い浮かべることとは、当然のことだが、相違している。哲学の営みとは、ソクラテス（プラトン）によれば、肉体に囚われた魂を「浄化すること（カタルシス)」にほかならない。肉体に束縛された魂は、純粋な知を得ることができないが、知を愛する者は、少なくとも肉体の拘束をできるだけ脱して、知そのもの（すなわちイデア）へと向かわなくてはならない。肉体の消失である、いわゆるこの世界での死は、その絶好の機会と捉えられなくてはならない。その意味で、死を恐れるのではなく、肉体からの解放として悠然として死を迎えるべく、その途上で魂の浄化に努めることが「哲学すること」となる、というわけである。

このソクラテス（プラトン）的な死の捉え方の根本には、魂の永遠不滅という思想、つまり、魂の永遠の故郷「イデアの世界」への回帰・転生の願望という思想がある。その意味からすれば、「哲学すること」は「ふるさと」へのノスタルジアの精華のひとつだと言うこともできるだろう。このことは、しかし、自らの出自と帰るべき行き先の探究という観点からすれば、魂の不死とは別個に、哲学の本来的な課題として捉えることも可能であろう。たとえば、ドイツの思想家ノヴァーリスの言葉に託して言うなら、「哲学とは、そもそもが郷愁 Heimweh である、どこにあってもわが家にあろうとする衝動である」と見なすこともできるからである[10]。先に引いた『精神現象学』の自己意識についても、ヘーゲルによれば、「自己意識と共にわれわれは今や真理の故郷の国に歩み入ったのである」と言われている[11]。してみれば、「哲学すること」は自覚的な思索者による「ふるさと」の探究という一点に集約すると見ることもできそうである。とはいえ、当然ながら、これもまた容易ならざる課題である。そのためにはやはり、「死への眼差し」が不可欠とされるからである。

「死への眼差し」が人の意識の飛躍の契機となると語ったのはヘーゲル

であった。あの『精神現象学』の序文でこう述べている。
「精神の生活 das Leben des Geistes とは、死を恐れ混乱から純粋に身を守るような生活のことではなく、死に耐え、死のなかに身を保持する生活のことである。精神がその真理を獲得するのはただ、絶対的な分裂のさなかに自分自身を見出すということによってのみのことである。・・・精神がこのような力を示すのは、否定的なものを直視し、否定的なものに留まるということによってだけである。このように否定的なものに留まる営みは、否定的なものを存在へと転換する魔法の力である」[12]。

「絶対的な分裂のさなかに自分自身を見出すということ」こそ、「死への眼差し」、すなわち「死の経験」にほかならない。これを単なる修辞的な語法と受け取ると、「哲学」の理解を根本的に誤り、「哲学すること」さえできないで終わることになるだろう。生の途上で「人間の真理」に触れ得る哲学者がいるとすれば、何としても「死の経験」を経ているのでなければならないからである。それは、いわば人間としての「限界」の自覚でもあると言ってよいだろう。だがしかし、ヘーゲルの言い分に耳を傾けるなら、「限界」が自覚できるのであれば、そのむこう・彼方の「永遠なもの」にも眼差しは向けられているはずである。それゆえに、自らも思わず知らず、「魔法の力」と称するほかはなくなるのであろう。これこそは、なお「哲学すること」の力であろう。

かくして、「哲学」は、私たち一人ひとりの「人間」の根底への問いかけとして初めて成立する力業なのだと言うべきなのかもしれない。「哲学すること」を通して、「私」と「私」の狭間に立ちすくみ、いわゆる「本来的人間」の形姿を追い求める時、「哲学」が開かれてくる。己の根源に眼差しを向けて、「人間」たるべき自らの有様を問うことこそを、「哲学すること」と言うべきであろう。それはもはや「死の練習」ではない。敢えて矛盾した言い方をすることが許されるなら、「死を生きること」でなくてはならない。「死を生きる」とはもちろん、あの「永遠なもの」を目指して「未在の自己」を現実化しようとすることであろう。「空になる…」と詠んだあの西行もまた、生と死とのあわいにあって、たしかに「死を生きようとして」いたのではなかったか。これも含め、そうならばこそ、「哲学を学ぶことはできない」と言われるのも、至極もっともなことなのである。そのような「哲学」は、ひとから教えられて得られる知識や術の類ではなく、まさしく己ひとりが負うべき人生という重荷に耐えて「哲学すること」によってはじめて実感されてくるものであろう。そのような意味において、「哲学」は人間の生の学である人文学 Human Sciences のおおもとに、出発点として、そして目標としてあるのだと言えるだろう。

【註】

1　Greek-English Lexicon, compiled by H. G. Lidell and R. Scott, 1968 Oxford.

2　デカルトは『哲学の原理』でこう述べている――「実体ということでわれわれは、存在するために他のものを必要としないような仕方で実在しているもの以外のものを理解することはできない」(第 1 部 51 節)。またデカルトは確実な根拠を求めて「方法的懐疑」を行使するが、その果てに確実性の根拠として「この上なく完全なものの観念 idea entis summe perfecti」を想定していたことも指摘しておかなくてはならないだろう(『省察』第 1 答弁参照)。『省察』の同個所によれば、コギトが思考の第一原因であるにしても、コギトを突き動かす疑念はこの不可疑の確実性を有する観念に由来するというのである。

3　I. Kant, *Kritik der reinen Vernunft*, Hamburg 1998. 慣例に従って、第 2 版（B 版）から引用し、その頁数を挙げ、本文中に組み込む。なお、邦訳としては『純粋理性批判』(熊野純彦訳、作品社、2012 年)を参照されたい。同訳書には原書の頁が付記されている。

4　I. Kant, *Metaphysik der Sitten*, S. 293 f., hrsg. von K. Vorländer, Hamburg 1966.

5　ベーコン『ノブム・オルガヌム――新機関』(桂寿一訳、岩波文庫、1978 年）参照。

6　この節の論点に関しては、次の拙論で詳しく論じたことがあるので、参照していただければ幸いである。「「私」と「私」の間に――「彼方への眼差し」を可能にするもの」(『生の倫理と世界の論理』座小田・栗原編、2015 年、東北大学出版会、181-213 頁)。

7　Hegels Werke in zwanzig Bänden, *Phänomenologie des Geistes*, Bd.3, Frankfurt/Mein 1970, S.296 f.

8　Ibid., S. 23.

9　プラトン『パイドン』(岩田靖夫訳、1998 年、岩波文庫、38 頁）参照。

10　Novalis, *Das allgemeine Brouillon*, Nr. 857, Novalis Schriften, hrsg. von Hans-Joachim Mähl, Bd. 2, München 1978, S.675.

11　Hegels Werke in zwanzig Bänden, *Phänomenologie des Geistes*, Bd.3, Frankfurt/Mein 1970, S.138.

12　Ibid., Bd.3, S.36.

第六章　ある数学屋からみた人文系学問

高木　泉

はじめに

小学生の頃は野尻抱影の「星の神話・伝説」を読んだり、父にねだって買ってもらった望遠鏡で月や木星を見たりしていた。中学生の頃は（ハンダづけは下手だったけど）ラジオを作ったり、生物部に入ってシダの採集やウニの受精実験をした記憶がある。数学も好きだった。高等学校では、物理が苦手であったけど、大学は理系学部に進むであろうことを疑ったことはなかった。しかし、高校三年生のとき、能力検定試験というのを受けた結果、文系に適性があるということを知り、非常な衝撃を受けた。二年生から理系クラスと文系クラスに分かれるが、何の躊躇もなく理系クラスに入り、理学部に進学することを目指していた。例えば一年生のときに学んだ地理の授業は大変面白く、古文や現代国語の授業も面白かった。文系の科目に興味を持たないわけではなかったが、大学に入って専門として学ぼうという気持ちにはなれなかった。ところが、適性は文系にあると言われてしまい、どうすればよいのか大変悩んだが、結局、まずは興味をもてる分野に進もうと決断し、理学部数学科を選んだ。

以上のような経緯で数学を専門とする研究者となり、以来人文系や社会科学系の学問を深く学ぶことはなかった。従って、以下は、数学のほんの一部しか知らない専門馬鹿が非常に個人的な観点から述べるものであることを断っておきたい。

十数年前、国立大学が法人化されて暫く経った頃、バスの中で偶然お会いしたある名誉教授が、声を潜めて「もう学問をするところではなくなっちゃったね」と仰った。そう言えば「学問」という言葉を耳にし、目にする機会が随分減ったように思う。この言葉を標題に含む書物として「学問のすゝめ」と「職業としての学問」がすぐに思い浮かぶ。まず、学問とはどういうものを指してきたのかを振り返ってみよう。

第一節 「学問」とは

およそ百五十年前福沢諭吉は、「世上に実のなき文学」はまず次にし、「人間普通日用に近き実学」を勧めている。つまり、学問には実学とそうでないものの二種類があると言っている。続けて「いろは四十七文字を習い、手紙の文言、帳合いの仕方、算盤の稽古、天秤の取扱い等を心得、なおまた進んで学ぶべき箇条ははなはだ多し」と述べたあと、進んで学ぶべきこととして地理学、窮理学（物理学のこと）、歴史、経済学、修身学を例示している。第二編では、

> 学問とは広き言葉にて、無形の学問もあり、有形の学問もあり。心学、神学、理学等は形なき学問なり。天文、地理、窮理、化学等は形ある学問なり。いずれにてもみな知識見聞の領分を広くして、物事の道理をわきまえ、人たる者の職分を知ることなり。

と述べた。無形の学問に分類された理学とは哲学を指しているのであろうか。

「学問のすゝめ」は、日本の近代化を始めるにあたって何をなすべきかを論じた、いわば緊急提言のようなものである。従って、学問とは何かを丁寧に論じたものではなく、旧来の学問観を廃し、洋学を用いて近代社会を建設せよと主張した。たとえば、「古来漢学者に所帯持の上手なる者も少なく、和歌をよくして商売に巧者なる町人も稀なり。これがため心ある町人百姓は、その子の学問に出精するを見て、やがて身代をもち崩すならんとて親心に心配する者あり。無理からぬことなり。畢竟その学問に実に遠くして日用の間に合わぬ証拠なり」とあるが、これを読んで五十年前伯父から「数学なんかでは飯を食えんぞ」と言われたことを

思い出した。当時、大学の数学科を出ても乞食か教師くらいしか道はないと口に出す人は少なからずいた。世間的には、数学に熱中することは和歌を詠むのに夢中になるのと同様身代を潰す危険性のあることだったのである。

一方、1919年に出版されたマックス・ウェーバー（Max Weber, 1864-1920）の“Wissenschaft als Beruf”を尾高邦雄が「職業としての学問」と訳したのは1936年であった。その英訳は“Science as a Vocation”であるから、Wissenschaftはscience、すなわち科学を指す。ちなみに、現時点でGoogle Translate、百度翻訳はいずれも“Wissenschaft als Beruf”および“Science as a Vocation”を「職業としての科学」と訳す。今日「科学」という言葉は、自然科学を指すことが圧倒的に多い。すでに1936年頃もそうであったのかも知れない。それでWissenschaftを学問と訳したのであろうか。ラテン語のscientia、英語および仏語のscienceをドイツ人はWissenschaftと訳した。「知る」を意味する動詞wissenを名詞化したものであるが、構造化された知識という意味である。それを日本人は科に分けて系統立てられた学問と理解したのであろう。従ってWissenschaftを学問と訳しても拡大解釈とはいえまい。ウェーバーは大学で教えられる学問とはいかなるものであるべきであるか、また、それはどういう態度で教えられなければならないか、を論じている。それは1918年末第一次世界大戦に敗れたばかりのドイツにおける大学生に対して語られたものであり、現在の日本の大学にそのまま通用することばかりではないかも知れないが、まずは耳を傾けてみよう。

ウェーバーが述べたことに共感できる箇所がたくさんあるが、ここでは、研究のことを述べた次の箇所を引用しよう：

> ところが、近ごろの若い人たちは、学問がまるで実験室か統計作成室で取り扱う計算問題になってしまったかのように考える。ちょうど「工場で」なにかを製造するときのように、学問というものは、もはや「全心」を傾ける必要はなく、たんに機械的に頭をはた

らかすだけでやっていけるものになってしまったかのようにかれらは考えるのである。だが、ここで注意すべきことは、こうした人たちの大部分が、工場とかまた実験室でどのようなことがおこなわれているかについてなにも知っていないということである。実験室でもまた工場でも、なにか有意義な結果を出すためには、いつもある——しかもその場に適した——思いつきを必要とするのである。とはいえ、この思いつきというものは、無理に得ようとしてもだめなものである。もとより、それはたんなる機械的な計算などとはおよそ縁が遠い。だが、たんなる計算といえども、よい思いつきを得るための欠きえない一手段にはなるのである。この意味で、たとえばある社会学者が、よい年をしながら数ヶ月にもわたって何万ものくだらない計算問題に頭を使っていたとしても、かれはあえてこれを悔いるには及ばない。もしこのばあいかれが計算機のたぐいにばかりたよっていたならば、おそらく期待された結果は出てこないであろう。

ここで「思いつき」は原文では Einfall、つまり英語の idea である。近年、日本の理系学術論文の出版数が停滞しているという嘆きが聞こえてくるが、「思いつき」を生みだすくだらない計算問題をする時間さえも奪われていることの証ではないか。

「では学問はいったい個々人の実際生活にたいしてどのような積極的寄与をもたらすであろうか」という問にたいし、ウェーバーは三つの答を与える。まず、「技術、つまり実際生活においてどうすれば外界の事物や個人の行為を予測によって支配できるか、についての知識である。」第二に、「物事の考え方、およびそのための用具と訓練がそれである。」そして第三に、「明確さ」(【独】Klarheit、【英】clarity)をウェーバーは挙げる。これが何を意味するのか、少し引用してみよう:

まず、人がいつも問題にするのは物事の価値いかんの問題である

> が、――断っておくが、ここでは事柄を簡単にするために社会現象を例にとって考えていただきたい――たとえば諸君がこうした問題について、実際にこれこれの立場をとったとする。ところで、もし諸君がこれこれの立場をとったならば、諸君はその立場を実際上貫徹するためには、学問上の経験からこれこれの手段を用いねばならない。ところが、その手段がまさに諸君の避けねばならぬと思うものであるかも知れない。そうしたばあい、諸君は目的とそのための不可避的な手段とのあいだの選択をおこなわねばならない。目的がこの手段を「神聖にする」（引用者注：【独】heiligen、【英】sanctify）かしないか。教師はあたかもこの選択の必然性を諸君に教えることができる。だが、かれがどこまでも教師であって扇動家になるつもりがない以上は、かれはそれ以上のことを教えることはできない。また、もとよりかれは諸君に、もし諸君がこれこれの目的を達しようとするならば、そのばあいには通例これこれの付随現象がともなってくるということを説明することもできる。そして、この点についても前と同様のことがいえるのである。

つまり、すべての条件を満たすような万能の方法があるかのように語る扇動家になってはいけない、ということであろう。

第二節　「大学」の様相の変遷

次に、学問をする場であったはずの大学がどのようにして誕生し、変わってきたのかを振り返ってみよう。

2.1　中世の大学

大学（university）は、ヨーロッパ中世末期の十二世紀末から十三世紀初頭にかけて「学生と教師の共同体」として成立したもので、次第に四学部制の高等教育機関として整備されていった。最初の大学とされるボローニャ大学は、法学者イルネリッス（1056 ～ 1130 頃）が法律の講義を始めた1088年を創立の年としている。最初期の大学としては、パリ大学（1150年頃)、オックスフォード大学（1096年）などが挙げられるが、その創立時期については判然としないところがある。なぜなら、それらは新たに開設されたのではなく、すでに存在していた何らかの学校を母体にして生まれたものだからである。十三世紀には、パドヴァ、ナポリ、ケンブリッジ（英国)、サラマンカ（スペイン）などの大学が生まれた。十四世紀になると、ローマ、アヴィニヨン・ペルージャ、プラハ、クラカウ、ヴィーン、エルフルト、ハイデルベルグに大学がつくられた。(シュテーリヒ、[Sh] II)

初期の大学を構成する四学部とは、基礎的な学問を教授する下級学部と専門的職業の資格と関連する上級学部、つまり神学部、法学部、医学部から構成されていた。下級学部では文法学、修辞学、論理学の三科と算術、幾何学、天文学、音楽理論の四科とを合わせて七科が教えられていた。これは「自由七科」と呼ばれるもので、古代ギリシアの「自由民の学芸」であった。なお、四科は「マテーマタ」と古代ギリシアで呼ばれていた学問である（野家［Nk])。これについては、後ほど詳しく論じたい。

初期の大学は近代的自然科学の成立以前に出現したものであるから、そこで教えられていた学問は、現代の大学のそれとは随分ちがっていたことであろう。中世末に現れたこのような大学を最近の流行にならって「大学１・０」と呼ぼう。

このような大学１・０の枠組みは十九世紀初頭までほぼ七百年にわたって続いたのであった。この間、ヨーロッパにおいて自然科学が勃興し、大いに発展したばかりでなく、技術の進歩が産業革命を引き起こし、また社会の構造も著しく変化した。

2.2　科学革命、啓蒙時代とアカデミー

初期の大学が成立してから五百年近く経った頃、大きな変化が訪れる。

科学革命は十六世紀半ばから十七世紀末までのほぼ150年間にヨー

ロッパを中心に生起した知的変革の一大事件である。具体的には、この革命はコペルニクスの「天球回転論」(1547年）の刊行に始まり、ニュートンの「プリンキピア（自然哲学の数学的原理)」(1687年）の刊行によって一応の終幕を迎える（野家［Nk]）

この間に登場するのは、ニコラウス・コペルニクス（1473-1543)、ガリレオ・ガリレイ（1564-1642)、ヨハネス・ケプラー（1571-1630)、ルネ・デカルト（1596-1650)、ブレーズ・パスカル（1623-1662)、アイザック・ニュートン（1643-1727）などである。

プリンキピア以後、百年間は、ベルヌーイ家からヤコブ（1654-1705)、ヨハン（1667-1748)、ダニエル（1700-1782）が出て、レオンハルト・オイラー（1707-1783)、ジョゼフ＝ルイ・ラグランジュ（1736-1813)、ピエール＝シモン・ラプラス（1749-1827）などが、現在の物理学と数学の両方の教科書に登場するような研究を行った。また、近代化学の父と呼ばれるアントワーヌ・ラヴォアジエ（1743-1794）もこの時期に活動したが、税務官を一時期務めたことが理由でフランス革命時に処刑された。これらの人々は大学に研究室を構えて思索と実験に没頭するような人生を送ったのではなかった。

ところが、トーマス・ニューコメン（1664-1729）による蒸気機関の発明とジェームズ・ワット（1736-1819）による飛躍的な改良に代表されるような動力機関の登場とそれに基づく産業革命が起こった。ワットはグラスゴー大学に工房をもつ技師として雇われて観測器具等の組立てや修理を行うなかで蒸気機関の改良に取り組んだが、教員ではなかった。実際、彼は大学での研究資金が尽きると会社を起こして研究を行った。

このような社会の変化に大学はどう対応したかというと、対応しなかったのである。その背景を野家は次のように説明する：

> …つまり、mechanicalとは「思考を必要としない決まりきった労働に従事するという階級的侮辱を伴った社会的偏見を表す言葉であった。その意味で、「自由学芸」と「機械技術」の間には明らかな差別

がったのである。

…当時の大学には「機械技術」を担当する学部はもちろん、それを教えるような科目さえも存在しなかった。むしろ大学は自由学芸の伝統を頑なに守り、新たな「テクノロジー」を教えることを拒否していたのである。

しかし、このように貶められていた機械技術が、近代に入るとやがてプラスのイメージに転化し、高い評価を受けることになる。こうした機械技術に関する価値の転換が起こったのは十七世紀から十八世紀にかけてであり、ほぼ科学革命の時代とそれに続く啓蒙主義の時代と重なっている。そこで機械技術にプラスの価値を与えるきっかけを作ったのは、F・ベーコンであった。…つまり、機械技術を生産活動と結びつけて、その積極的な価値を肯定しているのである。また彼は別の箇所で、自由学芸が何の役にも立たないと批判する一方で、mechanicalという言葉を「正確で誤りのない」というポジティブな意味で使ってもいる。

中世末期に始まった大学は、十九世紀まで数百年の間ほぼ同じ形態を保って、十七世紀、十八世紀の科学革命と啓蒙主義の時代をやり過ごしてきた。このことは、自然科学の研究が大学の外で行われていたことを意味する。コペルニクス（1473-1543）は、クラカウ大学で医学を学び、その後ボローニャ、フェラーラ、パドヴァなどの諸大学で、神学、数学、天文学、法学を学んだ。そしてフラウエンブルグ大聖堂の参事会員として活動した。彼は天文学書「天球の回転について」を著す一方、管財人であり外交官であった。詩文も書き絵も描いた。病人も治療した。（シュテーリヒ、[Sh] 第III巻、第八章、145ページ）

研究をする、あるいは発表する場として、アカデミーが設けられた。イタリアでは、1470年にフィレンツェにアッカデミア・プラトニカが開かれ、ローマにはアッカデミア・アンティクアリア（1498年）、アッカデミア・ディ・リンチェイ（1560年）が開かれた。フランスではリシュリューがアカデミー･フランセーズを開き、1666年にはルイ14世がアカデミー･デ・シアンスを設けた。

ニュートン（1642-1727）は、ケンブリッジ大学で学び、そこの数学教授となった。1645年以来ロンドンに科学に携わる人々の非公式なサークルができていたが、1662年にはこのサークルは王の勅許を得て「自然知識の進歩のためのロンドンの王立協会」となり、「哲学報告」（Philosophical Transactions）を刊行した。フック、ボイルなどが会員であったが、ニュートンも加わり（1672年)、1703年には会長となった。

一方、微分積分学のもう一人の創始者であるライプニッツ（1646年-1716年）は、ライプツィヒで生まれ、アルトドルフの大学で法学、神学、哲学を学んだ後マインツ選帝侯の外交使節となった。1676年以降はヨハン・フリードリヒ・フォン・ブラウンシュヴァイク侯の顧問および長官となりハノーファに住んだ。1700年にプロイセンの科学アカデミー発足の音頭をとり、ドレスデン、ウィーンやサンクト・ペテルブルグでもアカデミー設立を提案した。さらに、1682年にはヨーロッパ最初の私費科学雑誌を創刊し「学者の報告」（Acta Eruditorum）と名づけた。

こうして、十六世紀から十七世紀にかけて、多数のアカデミーが生まれ、自然科学のみならず、芸術、土木、軍事、鉱山など幅広い分野の教育と研究を担った。比較的新しい大学を除けば、大学は新しい学問分野を取り入れることを拒み続けた。

2.3　大学の近代化

自然科学の発展と産業革命を背景に、十八世紀から十九世紀にかけて、既成の大学とは別の高等教育機関を設置し、そこで技術教育を行うことが目指されるようになる。野家［Nk］から引くと：

> この動向の先駆けとなったのが、1794年パリに設立されたエコール・ポリテクニック（理工科専門学校）である。この学校はきわめてユニークな教育方針をもっており、科学と技術を結びつけた「理論

から応用へ」を標榜するカリキュラムを編成し教授した。その意味で、基礎的教養を重んじる自由学芸のあり方とは対局をなしていたと言ってよい。しかも、初代の校長は数学者のラグランジュであり、彼の肝煎りで画法幾何学や解析学を基盤に物理学や化学など自然科学を重視する、技術者養成を目的とした高等教育が実践されたのである。

エコール・ポリテクニックの成功に刺激されて、ドイツでも十九世紀以降、これに倣って高等工業専門学校（Technische Hochschule、略して TH）が各地に設立された。

なお、フランスでは、高等師範学校（エコール・ノルマール・スペリウール）が 1794 年設立され、すぐに廃止されたが、1808 年再開された。この学校は、教員養成を目的とするものであるが、卒業生は多方面で活躍し、ノーベル賞やフィールズ賞の受賞者を多数輩出した。研究者のみならず、首相となるものもいて、エコール・ポリテクニークと並ぶエリート養成機関となっている。

さて、十九世紀初頭のプロイセンにおいて、ナポレオン戦争での敗北を受けて近代化改革運動が起こり、その一環として、1810 年哲学者フィヒテを総長とするベルリン大学が誕生した。この大学はヴィルヘルム・フォン・フンボルトが提案した「研究と教育の一致」を理念とするもので、ゼミナールや実験をカリキュラムに組み込み、学生にも研究をさせるというものである。つまり、今日の日本の大学の形態は、フンボルト型であると言える。この近代化された大学を「大学２・０」と呼びたい。

このように、ヨーロッパにおいて「第二次科学革命」を担う近代化された高等教育機関としての大学が整備されている頃、日本は鎖国を解き、明治維新を迎えて、西洋文明を取り入れることになった。東京大学は世界で初めて工学部をもつ大学として設置された（杉山［Sj］8 ページ、隠岐［O］100 ページ）。

大学１・０の時代は、自然科学の研究は、法律家など、ほかに主たる職業をもった者によって担われ、大学の外で行われた。産業革命を経た十九世紀半ばからは、自然科学や工学の研究および教育を担当する機関として大学２・０が組織されることになるが、それは、科学者や技術者がかつての聖職者や法律家のような独立した職業として成立するようになったことを意味する。

近代自然科学の深い知識を持たずとも巨大ピラミッドを構築することができたように、様々な技術は自然科学の成立前から存在し、独自の発展史をもっている。しかし、近代科学は（物理）現象を量と量との間の関係として表現して理解するという際立った特徴をもつ。これにより、運動を精密に制御することが可能となる。巨視的な物理現象にとどまらず、分子や原子の結合体として物質の構造を理解し、化学反応の質量作用の法則などに基づき物質の合成を行うことが可能となる。そして、これらの知見は医薬やダイナマイトの創生として応用されることになるが、二十世紀になると化学兵器として利用されることにもなる。

日本語の科学技術という言葉は、英訳すると science and technology なのか、scientific technology なのか判然としない。野家（[Nk]）によると、

> 西（周）は、科学と技術はその趣旨が異なると言いながら、すぐに「所謂科学」においては、両者が渾然一体となってはっきり区別できない、と続けている。その具体例として「化学」が挙げられているのは、当時勃興しつつあった化学工業を念頭に置いてのことであろう。明らかに西は、「科学」という言葉で、「学」と「術」とが一体になった、今日でいう「科学技術」を意味しているのである。

大学２・０では、まさしく「科学技術」の研究と教育が中心的な位置を占めるようになったわけである。しかし、大学１・０を解体して無から大学２・０を構築したわけではなかろう。大学１・０の拡大版として大学２・０が誕生することになったはずである。基礎教育の内容も相当な改変を受けたであろうが、下級学部と上級学部との分離を前提に上級学部を増

やしていったのではないか、総合病院の診療科を増やすように。明治初期の日本の場合、高等教育機関を旧制高等学校と大学とに分離して導入したが、高等学校が下級学部、大学が上級学部に相当するものと理解できるであろう。第二次世界大戦後の学制改革で旧制高校と帝国大学が合わさって新制大学となったのは、大学１・０以来の形式に戻したとも言える。いずれにせよ、大学２・０の枠組みでも自由学芸が授けられた。

2.4　産業化科学と「大学３・０」

二十世紀の自然科学は、相対性理論と量子力学の成立を以って始まった。これらは我々の自然観を根本的に変えるものであったが、同時に巨大なエネルギーを得る可能性を示した。そしてそれは原子爆弾として実現した（1945 年）。

第一次および第二次世界大戦は、科学と技術が兵器開発などに深く関わった戦争であった。我が国では、1938 年に国家総動員法が公布され「政府は国家総動員上必要あるときは総動員物資の生産若は修理を業とする者又は試験研究機関の管理者に対し試験研究を命ずることを得」（第２５条）と定められた（杉山滋郎、［Sj］124-125）。

戦後生まれのわたくしにはその当時の科学者と心境を共有することはできないが、いくつか思い当たることがある。戦後、世界的に抽象的な数学が流行した時期がある。1980 年代初頭に恩師がふと「あれは、戦争はこりごりだ、という思いが強かったからだろうなあ」と仰ったので、驚いたことを忘れられない。その数年後、学会で講演した年配の数学者が質問に答えて「わたしの結果は何の応用もありません」と胸をはって言うのを聞いたとき、やはり戦争と関係があるのだろうかと思った。ヨーロッパでは、ユダヤ人であるという理由で落命した著名数学者が少なからずいた。 数学者 Peter Lax（1925-）による教科書“Functional Analysis”［P］には、ハウスドルフが 1942 年強制収容所に送られる直前に妻、義妹と一緒に自殺したこと、シャウダーが 1943 年殺害されたが、いつどこで起きたのか不明であることなどが記されている。彼らは二十世紀前半の数学の建設に決定的な役割を果たした数学者である。現代の戦争は、前線の兵士だけではなく、遠く離れたところで生活しているはずの非戦闘員も様々な形で巻き込まれてしまうものである。そして、そうした体験はその後の研究内容にも強い影響をおよぼす。

第二次科学革命は自然科学を大きく発展させ、同時にその利用技術も飛躍的に成長し、科学技術の時代を迎えた。二十世紀の二つの世界大戦を経て、冷戦の時代に入ってからは、大国間で兵器以外にも科学技術の水準を競うようになる。そして「二十世紀後半になるとアカデミズム科学は次第に産業化科学へと変貌を遂げ、科学が軍事や産業と結びついて政府や企業から巨額の資金援助を受けてプロジェクトを推進するという研究方式が主流となるにいたる。」（野家［Nk］）

戦時体制で科学者の動員が行われたが、産業化科学の時代には、国家のみならず広く産業界も科学技術者を動員することになるのである。二十世紀後半から産業化科学を推進する場として次第に勢いを増してきた大学の形態を「大学３・０」と呼んでみよう。

第三節　なぜ自由学芸に数学が含まれているか

大学１・０で教授された自由学芸七科「文法学、修辞学、論理学、算術、幾何学、天文学、音楽理論」のうち、読み書き算盤に相当する文法、修辞、論理、算術は基礎学力として求められる実用的な知識と技能を基盤としていると理解できる。また、天文学は暦、占星術のことであろうし、音楽理論は祭祀に必要であろう。幾何学は、今日「平面幾何学」あるいは「初等幾何学」と呼ばれているユークリッドの「幾何学原論」に基づくものであった。平面内の三角形、多角形や円の性質を学ぶことに一定の実用性を認めることはできるだろうが、様々な実用的公式を覚えさせたとは考えられない。

プラトンのアカデメイアの入口に「幾何学を知らざるものは我が門に入るべからず」と書かれていたことは有名である。プラトン（および同時代のギリシア人）は幾何学と算術を自由民が嗜むべき四科のうちに含めていたが、彼の著作「国家」から読み取れることは、これらの学問の実用的側面ではなく、例えば「…見たり触れたりできる物体と混合されてしまっている数を、純粋の数とごたまぜにしてしまうのは我慢ならないというふうにさせてくれる限りで…」とか「幾何学の中には魂を真へと導いていき哲学的思惟様式をはぐくむ力がそなわっているわけだね。」という極めて抽象的な理由からである（シュテーリヒ［Sh］第I巻、138ページ）。

これは、中国の「算術」とは対照的である。「九章算術」は紀元一世紀後半に編纂されたとみられる数学書で二百四十六個の問題とそれぞれの解法を九章に分けて述べている。例えば、第九章の第一問は「直角三角形があって、その短辺は三尺、長辺は四尺であるとき、斜辺の長さはいくらか。」答えは五尺である。この問題に対してはただ答えを与えているだけで、その理由は説明されていない。本書は、中国の算術書の古典として長く読み継がれていたし、日本の数学にも影響を与えている。証明を主題とするユークリッドの幾何学原論と比較すれば、九章算術は問題の解決が主題と言えよう。ギリシアでは、計算は奴隷の仕事であるとされた。位取りのない数の記法は実際の計算には不向きで苦痛であったろう。一方、中国では、籌（ちゅう）あるいは算木と呼ばれる棒を用いて加減乗除の四則演算のみならず、平方根や立方根を求める計算をも行なっていた。度量衡、天文暦法、測量などにおいて不可欠な計算は、官僚が担当した。中国で興った数学は算法（アルゴリズム）重視の実用的なものであると言えよう。（李［L］、銭［Q］。）

こうして、中世の大学で教えられた幾何学と算術は、もちろん実用上の目的もあったが、アリストテレスの著作に結実している古代ギリシアの自然観の土台となっている思考様式を修得するためであったと考えられる。ここでは、ギリシア数学の徹底した体系性を重視したのである。
ニュートンの「自然哲学の数学的原理」（Philosophiae Naturalis Principia Mathematica; 1687年）は、定義、公理を第1章の前におき、第1章は補助定理1、その証明、補助定理2、その証明、という形で展開されていく。補助定理1は、現代的述語を用いて言えば、函数の極限に関するものであり、補助定理2は曲線と座標軸によって囲まれる図形の面積の近似法に関するものである。明らかにユークリッドの幾何学原論のスタイルを踏襲した書き方である。現代の眼からは物理学を数学書の形式で記述することに違和感があるであろう。ニュートンの時代は、物理学と数学が分離された独立した分野とはなっていなかったから、という理解の仕方もあるかも知れない。

ここで、「数学」という言葉と英語の mathematics という言葉の違いに注意したい。すでに述べたように古代ギリシアで算術、幾何学、天文学、音楽理論の四科はマテーマタと呼ばれていたが、それは学ぶべき知識という意味であり、数や図形に関する学問という狭い意味ではなかった。ギリシア語の μαθημα が mathematics（英）、mathématiques（仏）、Matematik（独）になったのに対し、オランダでは、ステヴィン（1548-1620）がラテン語の学術用語を系統的にオランダ語に翻訳したとき、数学は viskunde となった。その意味は“knowledge of being sure”であるとライデン大学のドゥールマン教授の説明を受けた。江戸時代、鎖国中の日本ではヨーロッパの文物はオランダ人によってもたらされたから、当然蘭学者たちは viskunde という言葉を知っていたはずである。三上［M］によると「幕末から明治にかけて活躍した和算家内田五観（1805-1882）は家塾を瑪得瑪弟加（マテマチカ）塾と称し、数学を詳証学（マテシス）と称した。」ということである。詳証学は viskunde の翻訳であろう。「数学」は中国語であり、南宋の秦九韶（1202頃-1261）による書「数書九章」を念頭においている。幕末から明治にかけて学術用語を日本語に翻訳したとき、オランダ語の翻訳ではなく、すでに中国で定着していた数学という言葉を採用したのであろう。なお、清朝第二代皇帝康熙は満州語に翻訳されたユークリッドの幾何学原論を宣教師ジェルビヨンから学んだ（1690年頃）（たとえば李［L］を見よ）。マテオ・リッチ（1552-1610）と徐光啓（1562-1633）によって漢訳された幾何学原論は遅くとも1722年には日本にも伝わっているが、殆ど影響を残さなかったと思われる（藤原

「暦算全書及び幾何原本の渡来」1160ページ、[Fm1])。

ニュートンは、自身の理論の正しさを保証するために、当時の大学で学ぶスタンダードとして知識人の間で共有されていたマテシスという形式で論じたのではないだろうか。そして同時代の康熙帝がそうしたように、幾何学は楽しみながら行う思考の訓練であった。

第四節　何のための学問か

結論を先に申せば、我々は正気を保つために学問をするのだと、わたくしは考える。

科学の研究は多くの場合知的好奇心に駆られて行われてきた。そこでは、それが役にたつかどうかは取りあえず棚上げにして、その分野の研究をさらに推し進め、理解を広げ深めるという科学の自己運動に沿うて研究に取組む科学者の姿が思い浮かぶ。“scientist”(科学者)という呼称は、1830年代に「自然科学の研究だけに没頭している人」という否定的なニュアンスで使われ始めたということである(隠岐[O])。研究成果を応用するまでに十分長い年月がかかる場合、人々は科学者の存在を黙認するであろうが、科学技術の時代になり、研究成果がすぐに社会に「還元」されるようになると、あるいは、環境汚染のように科学技術によって多数の人々の健康を害するようなことが起こると、当然のことながら科学者を遊びに興ずる無邪気な子供のような存在としては扱わなくなる。また、科学者を洗脳してサリンガスを製造させ、多数の人々を殺傷させた事件は、科学者が社会の直接的な脆弱性となり得ることを示した。物理現象や化学現象を対象とする自然科学を学び研究している科学者にとって、ただ一つの正解というものがない宗教などの精神世界は迷路のようなものである。屁理屈に対する免疫のない者は洗脳されやすい。

この四半世紀の間に生命科学の分野で、クローン技術やゲノム編集を筆頭に我々の生命観を大きく揺さぶる「技術」がたくさん開発されている。その一つ一つが、医療や食料生産への応用を見込んだものとされている。科学技術庁が出したパンフレット「クローンって何？」には、

> 生命倫理問題には、クローン技術だけでなく、他にも臓器移植、遺伝子治療、延命治療、生殖医療（不妊夫婦の子供の出産、多胎・減数手術、出生前診断等）などの問題もあります。これらはいずれも医学や生物学の側面からだけでなく、倫理・哲学・宗教・文化・法律等の人文社会的側面からも幅広く十分に検討していく必要があります。

と述べられている。同じことがゲノム編集についても言えるはずである。しかし、この技術を国家戦略として推進している中国ではすでにゲノム編集を施された双子が誕生している（2018年）。つまり、我々は人間の定義を改定しなければならないような技術をもう手にしているか、ほぼ手中に入れた状態といえるのではないか。それを利用しないのは、人文社会学的な歯止めがあるからに過ぎないのではないか。賢人（ホモ・サピエンス）と自称するヒトがその「小賢しさ」によってこの世に幾たびも地獄を出現させてきた。世界的に科学者間の競争が煽られている中、功名心に駆られて後先考えずに先陣争いに突進する科学技術者がでないという保証はない。

吉見［Y1］によれば、「カントは、社会的有用性を旨とする上級学部と、理性の自由を旨とする下級学部は知の成り立ちが原理的に異なるのだと考え、両者を峻別した上で、下級学部と上級学部との絶えざる弁証法的葛藤として大学を捉えたのだ。」そして「カントの大学論に関しては、近年ではジャック・デリダが、カントの『哲学』を『人文学』に読み換えて議論を引き継いでいる。…デリダは大学に『条件なき』という形容詞を付すのだが、それは『あらゆる類の経済的な合目的性や利害関心に奉仕するすべての研究機関から大学を厳密な意味で区別しておくため』にほかならない。」

これは、今日的な文脈で理解しようとすると次のようになるのであろうか：直接の利害関係者だけから構成された研究機関は、暴走する危険性をつねに孕んでいる。その歯止めとなるのは人文系の知である。人文系を抱えた（総合）大学だけがその歯止めの機能を果たし得る。いずれにせよ、役立たずとされる人文系が、却って、直接の役に立たないからこそ歯止めとして社会的に役立ち得る、ということである。正気を保つために学問が必要というのはそういう意味である。

人文学の核である「哲学」の英語 philosophy について Oxford Advanced Learner's English-Chinese Dictionary では the study of nature and meaning of universe and human life と説明している。対応する中国語としては、ただ「哲学」とだけ書かれている。気がつけばこの宇宙に存在してしまっている「人」は生きていることの意義を問わずにはいられない。人は、自然科学や社会科学の知識や科学技術あるいは医療技術だけでは解決できない問題を抱えている。人文学として括られる一群の学問は、そのような問題を対象としている。もちろん、その中には人間を操作する技術を開発するために行われる研究もあるが。

哲学と個別科学の関係を論じたガダマー（[G]）は、「形而上学をもたない国民とは、聖体をもたない寺院、中身のない寺院、すなわち、その中にもはや何も住まず、したがってそれ自身もはや何ものでもない寺院のようなものだ」というヘーゲルの言を何度か引用している。諸科学の集成として築かれた大聖堂もそれだけでは空虚であると言うことであろう。ところで、哲学の古典を読もうとすると、とにかく難解である。きっと背景や動機がわからないからだと思い、哲学史を読んでみるが、これも劣らず難解である。そうして数学史の書物が難しいのと同じことではないかと気づく。近・現代数学史を理解するためには高等学校では学ばないような新しい数学の概念を理解している必要がある。言い換えれば、数学を知らずに数学史を理解することは不可能である。それを踏まえて幾何学原論との類推で言えば、哲学書を読むことは格好の思考の鍛錬になるであろう。五里霧中をうっすらと見える光を手がかりにつまずきながら進んでいく。数学者になるための訓練はこれに尽きる。だから、よい数学者は解決方法が皆目見当もつかないような状況におかれても恐れない。哲学者もそうであろうと思う。

構造化された知識という意味での science、Wissenschaft は、世界（自然と人間、社会）を理解するために創り出されたもので、まだ、完成していない。というより、現時点では甚だ不充分なものである。そもそも、それが完成するとは考え難い。むしろ、science は、つねに追加され、改定され、更新されていく、知の運動体であると捉えるべきである。個別科学には、それぞれの対象があり、それに応じた方法をもち、内的必然性によって研究を展開していくという側面がある。それが、新たな対象の発見、新たな研究方法・手段の開発としてその科学を発展させていく。しかし、世界は個別科学のために存在しているのではなく、世界の一側面を理解する方法論として個別科学が存在しているのであるから、これさえあれば世界のすべてが理解できるという一つの特別な個別科学を構築できると期待するのは虚しいことである。個別科学の前線を広げていくとき、あるいは、科学技術の開発における要請として、または、社会的な要請として、複数の個別科学に共通の対象が現れるのは必然である。複数の個別科学、個別分野の相互作用がまた新たな知見と研究分野を生みだす。こうして、science は個別科学毎の「自己運動」（数学者砂田利一の言葉）と個別科学間の相互作用が複雑に絡み合って運動しているのである。

百五十年前に取り入れ始めた西洋文明を消化吸収し、自家薬籠中のものとして使いこなせるようになった今こそ、その特性と限界をよく理解する必要があるのではないか。そのためには、役に立ちそうなところだけつまみ食いするのではなく、系統立てられた知識体系（Wissenschaft）として受け止めることが出発点となるだろう。

第五節　産業化科学時代の基礎科学

「役に立つ」とは、何かの目的があって、その目的を達成するために利用可能であるということである。大学２・０における研究者は、好奇心に従って個別分野の研究を進めた。それによって、科学的認識の本質的な飛躍が（時々）もたらされた。パラダイムシフトというのは、そういうことの積み重ねで起きるだと思う。数学者小平邦彦は、こう言っている：

> 「数学で大切なことは進歩することでなく進化することだ。水の底にすんでいた原生動物で、泳ぐことに一所懸命であったものは魚にしかなれなかったのに、底をのそのそはい回っていたものは、ついには陸に上がって進化して爬虫類となり人間となった。数学もあのようにやらなくてはいけない」（「数学セミナー」1969 年 1 月号）。

また、数学者山口昌哉は、かつて「ぼくは、リファインメントには興味ないんですわ。誰も行ったことのないところに行って掘っ建て小屋を建てて俺はここまで来たぞというのが楽しいんです。」と語った。つまり、テレビ番組「スタートレック」のオープニングのナレーション“To boldly go where no man has gone before”である。リファインメントは着実な進歩をもたらすであろうが、進化は、このような無鉄砲な試みから生まれるのである。

大学３・０では目標のはっきりしたプロジェクトをたて、その目標を限られた期間内に達成することに全力を注ぐことを求められる。だれも行ったことのないところにふらふら出かけていくなどということは許されない。

数年前、文系学部不要論が突如浮かび上がったとき（吉見［Y2］）何となく、万葉集の研究者などは大変だろうなとわたくしは思った。万葉集を研究し続けなければならないことを示す「エビデンス」を出せと言われるだろうから。ところが本年、改元にあたり新元号は万葉集が原典とされたため、書店には万葉集関係の書籍が平積みされるという現象が起こった。経済効果ならば、その学問の必要性の強力なエビデンスとして採用され得るのであろうか。日本の大学の文学部で万葉集を卒業論文のテーマに選んで卒業した学生の数は決して少なくないと思う。しかし、その中で万葉集に関する知識を直接活かす職業に就いた者は非常に少ないであろう。学生たちは、万葉集を研究するうちに自然に研究方法を体得して、就職してからそれを活かして働いているのではないか。

実学の典型である工学部は技術を学ぶところであるが、技術は常に改良され更新されついには陳腐化されるものである。これは非常に厳しい世界である。真空管をテーマとする研究室で研究した人が企業に就職してしばらく経ったころ、トランジスターが登場して、真空管に関する技術は使われなくなっていった、という。工学のすべてではないであろうが、「機能を実現する」ことが目的であり、実現するための材料や方法は単なる手段である、と考えてみると、技術者は高度の抽象能力を要求されていると気づく。企業の技術者・科学者は科学技術の最新知識を吸収するために非常によく勉強している。学び続けていけるのは、学生時代に培った基礎的素養があるからである。

結局、大学の専門課程で学ばなければならないことは、方法論である。

大学２・０の中で育った研究者として大学３・０に対して抱く最大の違和感は、理論系基礎科学分野の研究者養成の仕組みである。すべてが数値で比較される体制においては、どれだけ多くの大学院生に対し定められた年限内で学位を出したかを問われる。別の言い方をすれば、大学２・０では徒弟制度のなかで研究者が育っていったが、大学３・０では学校形式で研究者を育てている。５年以内で解決できそうな研究テーマを与え、時々ヒントを与えながら、解決に導いていくのが指導教員の役割となる。研究テーマを自分でみつけさせ、解決方法も自ら模索させるというのは明らかにリスクが大き過ぎる。そうして、学位取得後、任期が２〜３年のポジションを渡り歩いていき、めでたく任期なしの職にありつければよいが、そうでない場合も現実的に起きている。任期が２年ということは、着任して研究室で荷物を解き始めた瞬間から、次の就職先を探さなくてはいけないことになり、新たな研究テーマに挑戦することなど不可能である。(数学の場合、評価の高い雑誌に論文を投稿してから出版されるまで２年近くかかることが多い。）みな、決闘を翌日に控えて群論のアイデアを必死に書き留めたガロアと同様に「もう書く時間がない、時間がない」と叫んでいるのである（[Fm0] 70ページ）。博士課程後期３年の課程に進学する学生が減っていると聞くが、研究室の先輩の行く末を見聞きすれば、できるうちに就職しておこうと思うのは当然であろう。

ぶっ壊せという掛け声から始まった大学改革は、結局、大学２・０から大学３・０への移行を速やかに完了せよということだったのである。国立大学が法人化され、運営費交付金が毎年１％削減されていくという制度が導入された。15年後には基盤的経費が85％程度になった。今後も経費削減は継続される。競争的資金を獲得して残りを補うことになるが、それはこれまでのものを維持補充するためのものではなく、新しいことをするためのものである。大学そのものも、どれだけ改革したかの変化量を基準に評価され、さらには「改革を加速する」となり、改革が恒常化する。そのような忙しない環境では、ものごとを問い詰めて立ち止まってしまうような研究に取り組むのは難しい。

もし、学位記を販売する学校以上のものを大学に求めるのならば、独創的研究をする場としての大学３・１を構想し実現させる必要がある。そのとき統合知としての人文学の果たす役割は重要である。大学２・０（フンボルト型大学）として創立されたベルリン大学は哲学者フィヒテが総長に就いたことを想起しよう。

【参考文献】

[Fy]　福沢諭吉「学問のすゝめ」、岩波文庫、改版、2008年
[Fm0]　藤原松三郎「代数学」第二巻、内田老鶴圃、1929年
[Fm1]　藤原松三郎「西洋数学史」、宝文館、1956年
[Fm2]　藤原松三郎「東洋数学史への招待」、東北大学出版会、
[G]　ハンス・ゲオルグ・ガダマー著、本間謙二・座小田豊訳「科学の時代における理性」、法政大学出版局、1988年
[L]　李迪著、大竹茂雄・陸人瑞訳「中国の数学通史」、森北出版、1984年
[M]　三上義夫「日本数学史」、東海書房、1947年
[Ni]　アイザック・ニュートン「プリンシピア　自然哲学の数学的原理」第I編、第II編、第III編、講談社、2019年

[Nk]　野家啓一「科学哲学への招待」、筑摩書房、2015 年
[O]　隠岐さや香「文系と理系はなぜ分れたのか」、星海社、2018 年
[P]　Peter D. Lax、"Functional Analysis"、Wiley、2002 年
[Q]　銭宝琮編、川原秀城訳「中国数学史」、みすず書房、1990 年
[Sh]　ハンス・ヨアヒム・シュテーリヒ、菅井準一・長野敬・佐藤満彦訳、「西洋科学史」I-V、社会思想社、1975-1976 年
[Sj]　杉山滋郎「日本の近代科学史」、朝倉書店、1994 年
[W]　マックス・ウェーバー、尾高邦雄訳「職業としての学問」、岩波書店、1980 年改訳
[Y1]　吉見俊哉「大学とは何か」、岩波書店、2011 年
[Y2]　吉見俊哉「『文系学部廃止』の衝撃」、集英社、2016 年

第七章　不可視の世界へ対峙する
――人文学の存在意義――

鈴木　岩弓

はじめにー私の体験談からー

東日本大震災から、五か月ほどが過ぎた2011年8月のこと。遠来の友人たちと共に一日被災地を歩き廻り、石巻市雄勝町の民宿まで案内したことがあった。翌朝から仕事が入っていた私は、夕食を兼ねた懇親会を終えると、車で一人仙台に帰る予定であった。少しでも早く帰ろうと、ナビを高速利用に設定し、まずは海沿いの道を南下し始めたのは夜の九時過ぎのこと。高速へは、少し行った先を右折し、内陸に入って乗る予定であった。道の左側の暗闇の中、海面の反射光を確認しながら進む道沿いには、ところどころに民家の明かりが見えていた。

しかし暫く走り、ふと気付くと、私は燈火の全くない闇の道を海岸線に沿いながら南下していた。右折すべき道は、とっくに通り過ぎていたのである。「ナビの指示通りに、走って来たはずなのに。何で？」と不可解な事態に気付いた私は、得も言われぬ気味悪さの中で自問した。そして同時に、後部座席に誰か座っているのではないかと思いつつ、恐る恐るルームミラーに眼をやったのである。幸い（？）座席上に座る人の姿は確認出来なかったため、少し気持に余裕の出た私が次に思ったことは、「一体、誰が私を呼んでいるのだろう」ということであった。今回の震災で犠牲になった知り合いやその関係者を思い出してみたが、石巻市周辺には思い当たる該当者はいなかった。気味悪さが吹っ切れたわけではなかったが、それよりも呼んでいるのが誰なのかが気になった私は、道を戻ることはせずに、真っ暗闇の浜沿いの道をそのまま南下することにした。

人家の灯、道沿いの街灯といった人工的な光が全く存在しない暗闇の中、ヘッドライトが照らし出す世界のみが頼りの運転であった。震災から五か月ほど経ってはいたが、未だ津波被災地の路面の痛みは激しく、舗装が剥がれて凸凹になっている所が多かった。また崖沿いの道ではところどころ道の一部が崩落し、片側通行となっているところも多かった。そうした場所には仮設の工事用信号機が設置されており、運悪く赤信号に当たってしまうと、数分間の停車を余儀なくされる。反対車線から車の来る気配が全くない中、暗闇に目が慣れてくると、道のすぐ脇の様子が浮かび上がってくる。崩れかけた建物や土台だけが残る家の敷地跡は、人の生活の臭いがありながら生気が全くなく、落ち着かない緊張を強いられたことであった。そうした停車時も、後部座席の確認は怠りなく行っていたのは、もちろんのことであった。

リアス式海岸に沿って走るクネクネ道を走破して小一時間。漆黒の空に石巻市街地の明かりが映るようになって間もなく、道の脇にコンビニの眩い光が見えてきた。吸い込まれるようにハンドルを切って少々早い休憩を取ることにした私は、まれにみる美味しさのコーヒーを飲みながら、しばらくの間緊張から解放された安堵感をゆったりと味わっていた。思い起こせば、後続車はもちろん、一台の対向車ともすれ違うことのない孤独なドライブだったのである。ただそうした不安な経験の中、私の一番の関心事であった「誰に呼ばれたのか」は、結局わからずじまいの幕切れであった。

さて以上のような、あくまでも私の個人的な体験談を聞いて、読者の皆さんはどう考えるだろうか？「馬鹿馬鹿しい。勝手な思い込みをしているだけさ」と思う人もいるであろう。また「何となくわかる気がする」と言う人もいるであろう。ちなみに私にとってこの時の体験は、自身の中に刷り込まれてきた日本文化を改めて再確認する絶好の機会となった。

そもそも私の専門は「宗教学」、とりわけ「宗教民俗学」と呼ばれる、いわゆる人文学の一領域である。一言で「宗教学」といっても幅はかなり広く、哲学と隣接する「宗教哲学」から社会学と隣接する「宗教社会学」まで、個としての人間のみならず、群としての人間をも対象化する、幅の広い分野である。「宗教民俗学」とは、そうした広がりをもつ「宗教学」の中でも、群としての人間生活に力点を置き、宗教者というよりは、ごく普通の生活を営んでいる一般庶民の信仰を対象として研究を行っており、往々にして宗教的教義そのものとは多少ズレた形に信仰されている、現実の信仰現場がその対象となるのである。

「宗教民俗学」においてはフィールドワークが不可欠であるが、本稿では私自身の「宗教体験」を素材として採り上げ、内省的なフィールドワークを通じて、こうした研究の存在意義を考えてみたいと思う。

第一節　体験談の背後にあるもの

まずは、今まで述べてきた私の体験を振り返りながら、私が「何故そう考えたのか」「何故そうした行為をとったのか」などの点について、改めて自己分析を試みることにしよう。

1．設定通りに動かなかったナビ

私にとってナビは、不案内な場所へドライブする際の必需品である。これがあれば、初めての道も旧知の如くに走ることができることから、その利便性に満足していたし、その扱いの癖についても慣れていた。私にとって、この「機械」は高い信頼を寄せて付き合っている、まさに“運転の友”的存在であった[1]。

仙台に帰るナビに「高速道路利用」とセットしたことは、私にとって日常的な行動であった。ところが、ナビが案内した道は私の設定ルートとは異なっていた。この事態に気づいた私は、その瞬間「ナビへの設定ミス」「ナビの指示の見落とし」等という私自身に起因する原因は露ほども考えなかった。いつも通りにナビを設定し、いつも通りにナビを見ながら運転したことを自負していたからである。それにもかかわらず、設定した命令を忠実に実現するはずの「機械」が“誤作動”を起こしたのである。自身に原因がないと確信していた私は、その原因を何らかの他からの“得体の知れない力”の作用であると、ごく自然に考えていたのである。

2．後部座席の確認

ナビの“誤作動”を知ったその時の私は、おそらく、その原因となった“得体の知れない力”が誰によって引き起こされたかにつき、薄々感じ取っていた。しかしその詳細の追究以前に、私はまず行動を起こしていた。車の、後部座席の確認である。私の車は“得体の知れない力”によって予定外の場所へ導かれようとしていた訳だから、次にはその力の持ち主が私の前にその存在を示すことになるはずだ、という読みがあったのである。私を襲った「得も言われぬ気味悪さ」というのは、その“得体の知れない力”の顕現を予想していたから生じたのであろう。

同じ車の中でも助手席ではなく後部座席を気にすることは、おそらく私の中に刷り込まれていた生活様式、文化の影響なのであろう。世間に流布する怪談話の定番パターンの一つとして、幽霊が車中に乗り込む話があるが、管見の及ぶ限りその場所は必ず後部座席なのである。

例えば仙台と山形を結ぶ国道48号線の県境に位置する関山トンネルは、私が学生時代当時から、しばしば幽霊が車に乗り込んでくる場所として有名であった。とは言え世間に流布するそうした怪異譚は、その多くが「友だちの友だちの経験」として語られることが多く、自己の体験として披露される機会は稀であった[2]。そのような中、私はたまたま自分の体験を語る人の話を、直接本人から聞いたことがあった。それによると、山形方面から関山トンネルに入ってふと気が付くと、後部座席に座る女性の姿がルームミラーに映るのが見え、そのまま仙台市内のある所まで来たら消えていたという話であった。女性の様子や会話の有無など、話が終わった直後にいろいろ問い質すと彼は即座に答え、その真摯な様子に、私としてはその体験を否定する根拠もなく、世の中には理解出来ない不思議なこともあるものだとして受け入れていたのである。おそらくそうした体験談を語る人は他にもいて、その内容が社会の中に受け入れられて流布して行く中、「幽霊は走っている車の中にドアを開けることなく乗り込むことができ」「後部座席に座ってしばらく乗った後」「何の前触れもなく消滅する」などといったストーリーが定式化されてきたのであろう。かかるストーリーは、国内ではタクシーに幽霊が乗ってくる言説として広く聞かれる。東日本大震災後の石巻市や気仙沼市のタクシードライバーへの聞き取り調査をもとに書かれた卒業論文が、論文集に収められて関心を集めたことは知られていよう。さらにアメリカでも、「都市伝説」研究で著名なジャン・ハロルド・ブルンバン（Jan Harold Brunvand）が『消えるヒッチハイカー』（The Vanishing Hitchhiker）で扱うなど、車が霊的存在との接点となる事例は、日本のみならず採り上げられる現代社会のテーマとなっている。これまでこうした話を聞く機会のあった私にとって、無意識にせよ後部座席の確認をしたことは、私の中に刷り込まれた文化的価値観に基づきなされたものであったと見なせるだろう。

3．“得体の知れない力”

さて後部座席に誰も座っていないことを確認し終えた私は、その次に「誰が私を呼んでいるのだろう」とごく自然に疑問をもった。この時点では既に、私自身の中では「機械」に誤作動を起こさせた“得体の知れない力”の主が何者かは、ある程度確信を持って理解していた。東日本大震災で犠牲になった人の霊魂、死霊という理解である。何者かの死霊が私に何かを訴えかけたいがゆえに、私が設定した「機械」への命令を勝手に書き換え、津波で多くの人々が命を落とした被災現場の近くに私を呼び込もうとしているのだ、と考えたのである。

その背後には、家の中や病室などといった、現代社会の多くの人が死を迎える場所とは違って、震災被災地や事故現場には、死者の霊魂が彷徨って姿を現すといった言説が作用したものと思われる。つまり一言で死者と言っても、事故死・大量死などの死者は通常の死者とは異なり、この世に強く未練を残していたり、自分が死んだことを理解していなかったりするため、生者に対して何らかの働きかけをしてくるという理解である。東日本大震災に際しては、こうした話は震災のあった年の夏頃からところどころで聞かれるようになり、とりわけ津波被害の大きかった被災地周辺からは様々な怪異譚が聞かれるようになった[3]。

しかし改めて考えてみても、私自身の知り合いの中で、石巻の周辺で犠牲になった人はいなかった。そのため、逆に私をそのように海沿いの被災地へ導こうとする死者とは一体誰なのか、という点は気になる所であった。そしてさらに、その死者は私を呼んで一体何を訴えようとするのか、という伝達内容についても知りたいと思ったことであった。

以上のような思考の流れ、行動の流れを個別に整理してみると、私のことを「宗教がかっている」と思う人もいるかもしれない。ちなみに私は、何か特定の宗教の信者というわけではなく、強いて言うなら日本の民間信仰の価値観の中で生活してきた“ごく普通の日本人”であると思っている、自分としては。今回の私の体験を見ていくと、私の考え方や行動の仕方の背後には、これまで私がさまざまに接してきた日本文化の影響が色濃く反映されていることが浮上し、私はそうした中で醸成されてきた価値観の中で一つひとつ反応してきたものと言えよう。したがって上記の体験中、私は途中で躊躇することなく、ごく自然な流れの中で考え、行動してきたのであった。

そうした時、今回の私の体験の背後に流れている大きな柱は、死後霊魂の存在を認める観念である。以下では、わが国で散見されるこの観念を探り、こうしたことを研究する意義を考えてみることにしよう。

第二節　死後霊魂の存在

世の中では、死後の人間を語る際に「死者の霊」「死後霊魂」「死霊」「幽霊」など、「霊」の語を使った表現で語られる機会がしばしばみられる。この考え方の背後には、「霊肉二分論」が前提されている。この考え方によると、生者は霊魂と肉体が合体してその姿を構成していると理解され、睡眠中や気絶時には、その肉体から霊魂が離れるものと考えられ

<表1>死後霊魂の存在

実施年	調査者	信じる	あり得る	信じない	何ともいえない	わからない	無回答
1952	讀賣新聞社	43.0		24.8	22.0	10.2	
1981	朝日新聞社	60.0		30.0	10.0		
1985	毎日新聞社	40.0		22.0		37.0	1.0
1990	毎日新聞社	39.0		27.0		34.0	0.0
1994	讀賣新聞社	35.0		29.9	33.2		1.9
2003	鈴木科研	16.8	36.6	20.4		25.9	0.2

ている。離脱した霊魂が再び肉体に戻って来れば、目覚めた後にその間の行動を夢として思い出すが、時として一旦肉体を離れた霊魂が戻ってこない事態が生じることがある。その事態が「死」なのである。このような理解は古代より世界中で見られたことが知られている[4]。そしてひとたび死を迎えると、霊魂が不在となった肉体は朽ちて消滅してしまうのに対し、肉体から離脱した霊魂は、その後も不可視のままに永続すると考えられている。以下では、霊肉二分論に基づく死後霊魂の存在について確認してみよう。

まず、戦後に行われた新聞社などで実施してきた社会意識調査の結果をみてみよう。「死後の霊魂の存在を信じるか否か」という質問項目は、日本人の意識を知る上で基本的な設問と考えられ、1952年の『読売新聞』以降、時代を通じてしばしば取り上げられてきた（<表1>参照)。

最下段の私の科研による全国調査の結果では、肯定的回答をさらに「信じる」と「あり得る」とに分けていたが、これを肯定的回答として合算するなら53.4%となる。その結果、どの調査結果からも肯定的回答の占める割合が一番多く、最低でも35%、多いと60%に及んでいたことが明らかになる[5]。これに対し死後霊魂の存在を「信じない」と否定した人が、毎回20%から40%近く必ず見られる点も注目すべきことであろう。

こうした時一点気になるのは、肯定的回答が二度とも50%以上の『朝日新聞』の調査では回答が三択であったのに対し、それ以外では四択もしくは五択であった点である。そして『朝日新聞』以外では、肯定・否定以外の「何とも言えない」「わからない」「無回答」の数値の合計が、全て「信じない」を毎回上回っていたことには注目すべきであろう。

霊魂の存在というナイーブな設問は、肯定的な判断をする人が正直に答えることは他者の目を気にして難しいところがある。もしも「信じる」と答えると、「合理的思考こそが善であり正である」と考える風潮の強い戦後日本の王道的価値観の社会にあって、科学的・合理的思考を尊重する現代的価値観をもった人々からは、「教養がない」「迷信深い」「変わった」といった負のレッテルを貼られる可能性が予想され、それを恐れて正直に答えられない可能性が生じてくるからである。『朝日新聞』以外の調査で、肯定・否定以外の回答を選択する数が多い理由は、おそらくその点に起因するものと考えられる。

こうしたナイーブな意識調査の結果を扱う時に重要なことは、それぞれの調査法であろう。つまり調査がなされた状況によって、正直な回答が把握できない可能性が予想されるからである。例えば、回答者自身で調査票に記入する自計式と、回答者の回答を面談して聞いた調査員が記入していく他計式とでは、本音が語られるか否かに差が生じるからである。また自計式であっても、調査票を袋に厳封して回収しないのであれば、回答用紙を調査員に読まれるのではないかという不安を呼ぶことにもなる。ここで問われている霊魂の所在といった問題は、もしも「信じる」と回答したなら、負のレッテルを貼られかねないため、それを予想して本音を回答できかねる人が出てくるのである。そうした人々の多くは、「何とも言えない」「わからない」「無回答」を選択している可能性が高いと推測されよう。即ち、それら三種の回答の数値は、「信じない」わけではないが「信じる」と断言できかねる人々によってなされる残余の選択のみならず、実際には肯定的回答を選択したいと思っていながら、保身に基づいて選択されているケースも含まれているものと推測される。その点が不明瞭なこれまでの調査結果からいえることは、最低限、死後霊魂の存在を「信じない」人が、毎回20%から30%ぐらい必ずいるという点であろう。逆に言うならば、戦後のわが国では、多いと70%近くの人々が死後霊魂の存在を否定してはいないということになる。そのような解釈が可能ならば、私の体験談にみられた思考の根拠は、戦後の日本文化の中では突飛なものではないものと思われる。

第三節　現代社会における死後霊魂

では現代日本において、死後霊魂はどの程度、どのような人々によって信じられているのであろうか。以下、この点に関する傾向性について、私が実施した際の全国調査の結果を手掛かりにその特徴を見ることにしよう。この調査は2002年度から2004年度にかけ、日本学術振興会による科学研究費補助金（基盤研究A）共同研究「死者と追悼をめぐる意識変化―葬送と墓についての綜合的研究―」（研究代表者：鈴木岩弓）の一環として、社団法人新情報センターに委託して実施した全国調査である。調査期間は2003年2～7月に訪問留置法によって実施した結果、2000人の調査対象の70.5%にあたる1409人からデータが回収された[6]。前述した＜表1＞の最下段の「鈴木科研」の列が、それに対する回答である。なお、以下では無回答の4件を除いて集計することとし、年齢別に検討したものが＜表2＞である。

これよりまず指摘できることは、30代を除きどの年齢層でも「ありうる」が最多割合を占めており、「わからない」を併せると、20代の58.7%を除き、いずれも六割越えとなっていたことである。この点からも「死後霊魂の存在」は、合理的な説明が難しい信仰の問題として非確信的な態度で扱われてきたと言うことができよう。

それが故にこの問題に「信じる」「信じない」と確信的な回答をする人は、全体として四割を切っていることになる。そのうち「信じる」は、40代と20代が20%を超え、各年齢に占める割合で比較するなら60代の倍以上を占めていた。ちなみに、「信じる」が22.3%と最高値であった40代は、「信じない」の最低値15.5%を示していた。これに対し「信じる」

<表２>年齢別にみた死後霊魂の存在

死後の霊魂を信じますか		信じる	ありうる	信じない	わからない	合　計
20 － 29 歳	実数	43	68	44	56	211
	構成比（%）	20.4	32.2	20.9	26.5	100.0
30 － 39 歳	実数	40	78	41	81	240
	構成比（%）	16.7	32.5	17.1	33.8	100.0
40 － 49 歳	実数	52	89	36	56	233
	構成比（%）	22.3	38.2	15.5	24.0	100.0
50 － 59 歳	実数	43	102	69	75	289
	構成比（%）	14.9	35.3	23.9	26.0	100.0
60 － 69 歳	実数	27	112	64	55	258
	構成比（%）	10.5	43.4	24.8	21.3	100.0
70 歳以上	実数	32	67	34	42	175
	構成比（%）	18.3	38.3	19.4	24.0	100.0
合　　計	実数	237	516	288	365	1406
	構成比（%）	16.9	36.7	20.5	26.0	100.0

の最低値 10.5%を示していた 60 代は、「信じない」の最高値 24.8%を示しており、これらの「信じる」「信じない」の多寡は整合している。とはいえ、「信じる」「ありうると思う」という肯定的回答は 40 代の 60.5%から 30 代の 49.2%までの間に分散しており、年齢層による差異は大きくはない。

次に死後霊魂の存在を学歴と絡めてみると、<表３>を得る。ここからは、学歴が高いほど「信じない」が増加することが綺麗に見て取れるが、「信じる」については学歴の高低に基づく差異は認められない。このことから死後霊魂の存在を信じない傾向は学校教育の成果として生まれている可能性が推測される。逆に死後霊魂の存在を信じることに関しては、教育、とりわけ学校教育は、大きな影響力は行使してはおらず、そうした信仰が涵養される場は、家庭教育の一環としての躾などでなされていることが推測されよう。

<表３>学歴からみた死後霊魂の存在

死後の霊魂を信じますか		信じる	ありうる	信じない	わからない	合　計
中学校（旧制小学校）	実数	35	89	40	50	214
	構成比（%）	16.4	41.6	18.7	23.4	100.0
高　校（旧制中学・高女）	実数	129	277	144	199	749
	構成比（%）	17.2	37.0	19.2	26.6	100.0
短大・高専（旧制高校）	実数	32	61	41	55	189
	構成比（%）	16.9	34.7	25.1	23.9	100.0
大学・大学院	実数	41	87	63	60	251
	構成比（%）	16.3	34.7	25.1	23.9	100.0
合　計	実数	237	514	288	364	1403
	構成比（%）	16.9	36.6	20.5	25.9	100.0

地域差については<表４>のようになる。これより「信じる」は近畿が24.0%、大阪圏が20.2%と多く、「信じない」では四国の24.4%に次いで近畿が24.0%となっていた。この点からは、近畿の人々が他地域と比べて肯定／否定の別を明確につけている傾向が窺える。

「信じる」について地域別比較をすると、北陸が12.5%で一番少なく、その次が名古屋圏の13.0%である。思えば両地域とも、浄土真宗の門徒が多く住む「真宗地帯」と呼ばれる宗教的特色をもった地域で知られている。阿弥陀如来に絶対帰依する、一神教的価値観の強い浄土真宗の信仰が強い地域であれば、死後霊魂の存在を肯定する割合が少なくなることは理解出来る。

<表４>で「信じない」とする回答が多いのは、四国・近畿・東海・首都圏・大阪圏であることから、大都市と「信じない」こととの相関が予想される。そこでこれをさらに都市規模で分けて確認してみたのが、<表５>である。とはいえ、ここからは、死後霊魂の存在に対する意識が、都市規模の違いによる顕著な差異を生んではいないことが明らかになる。

ならば、死後霊魂の存在に対して「信じる」「ありうると思う」の肯定

＜表４＞地域別にみた死者霊魂の存在

死後の霊魂を信じますか		信じる	ありうる	信じない	わからない	合　計
北 海 道	実数	12	23	9	18	62
	構成比(%)	19.4	37.1	14.5	29.0	100.0
東　　北	実数	15	50	18	27	110
	構成比(%)	13.6	45.5	16.4	24.5	100.0
首 都 圏	実数	54	116	80	88	338
	構成比(%)	16.0	34.3	23.7	26.0	100.0
関　　東	実数	24	49	23	31	127
	構成比(%)	18.9	38.6	18.1	24.4	100.0
北　　陸	実数	8	30	5	21	64
	構成比(%)	12.5	46.9	7.8	32.8	100.0
東　　山	実数	10	21	10	9	50
	構成比(%)	20.0	42.0	20.0	18.0	100.0
名古屋圏	実数	7	26	7	14	54
	構成比(%)	13.0	48.1	13.0	25.9	100.0
東　　海	実数	13	31	20	20	84
	構成比(%)	15.5	36.9	23.8	23.8	100.0
大 阪 圏	実数	38	60	43	47	188
	構成比(%)	20.2	31.9	22.9	25.0	100.0
近　　畿	実数	12	12	12	14	50
	構成比(%)	24.0	24.0	24.0	28.0	100.0
中　　国	実数	12	26	14	23	75
	構成比(%)	16.0	34.7	18.7	30.7	100.0
四　　国	実数	9	18	11	7	45
	構成比(%)	20.0	40.0	24.4	15.6	100.0
九　　州	実数	23	54	36	46	159
	構成比(%)	14.5	34.0	22.6	28.9	100.0
合　　計	実数	237	516	288	365	1406
	構成比(%)	16.9	36.7	20.5	26.0	100.0

<表５>都市規模からみた死後霊魂の存在

死後の霊魂を信じますか		信じる	ありうる	信じない	わからない	合　計
大 都 市	実数	53	117	67	82	319
	構成比(%)	16.6	36.7	21.0	25.7	100.0
人口10万人以上都市	実数	103	188	104	150	545
	構成比(%)	18.9	34.5	19.1	27.5	100.0
人口10万人以下都市	実数	46	94	58	52	250
	構成比(%)	18.4	37.6	23.2	20.8	100.0
町　　村	実数	35	117	59	81	292
		12.0	40.1	20.2	27.7	100.0
合　　計	実数	237	516	288	365	1406
	構成比(%)	16.9	36.7	20.5	26.0	100.0

的回答をする人々は、霊魂の所在をどこと考えているのであろう。肯定的回答をした人のうちで、この設問に回答した744人が複数回答で選択した総数は1174件に達し、一人当たり1.6項目選択したことになる<図>。

ここからは、「生者の心の中」(29.3%)「天国・極楽・浄土」(27.7%)といった抽象的な不可視の場の合計が57.0%を占め、「墓」(17.5%)「仏檀」(12.5%) といった死者のシンボルが安置されている具体的空間の合計が30.0%となっている。なおここで注目すべきは、「死亡場所」が5.3%あることで、寺はもちろん山や海よりも多いことである。この点は、私の体験で述べた津波被災地が死後霊魂の所在として意識されていることにも通じることである。

「死後霊魂が生者の生活に影響を及ぼすと考えますか、考えませんか」という設問に対する回答を年齢別にまとめたのが<表６>である。まず全体の傾向から見るなら、「時として影響を及ぼす」(47.0%) が最多で、これに「大いに影響を及ぼす」(6.6%) を加えた肯定的回答は53.6%にのぼり、半数以上の人々が死後霊魂から生者の生活に影響力があると考えている。この点、私の体験で「誰に呼ばれているのか」と考えた場

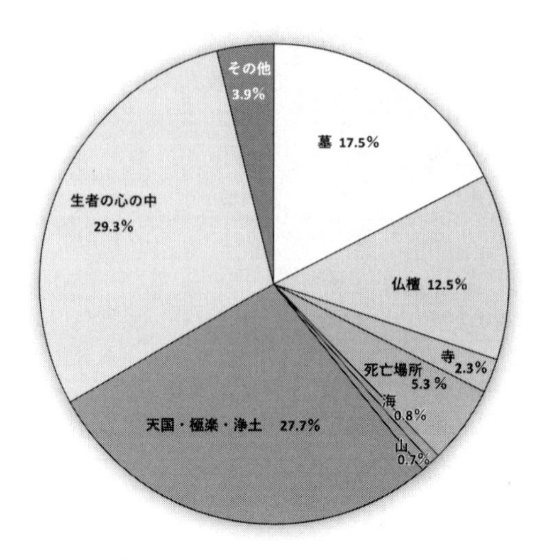

＜図＞霊魂はどこにいるか

＜表６＞死後霊魂が生者の生活に影響を及ぼすか：年齢別

死後の霊魂が生者の生活に影響を及ぼすか		大いに影響を及ぼす	時に応じて及ぼす	及ぼさない	その他	わからない	合　計
20 － 29 歳	実数	4	61	14	1	30	110
	構成比（%）	3.6	55.5	12.7	0.9	27.3	100.0
30 － 39 歳	実数	7	61	22	0	27	117
	構成比（%）	6.0	52.1	18.8	0.0	23.1	100.0
40 － 49 歳	実数	12	71	20	1	35	139
	構成比（%）	8.6	51.1	14.4	0.7	25.2	100.0
50 － 59 歳	実数	6	65	38	2	33	144
	構成比（%）	4.2	45.1	26.4	1.4	22.9	100.0
60 － 69 歳	実数	8	59	35	0	33	135
	構成比（%）	5.9	43.7	25.9	0.0	24.4	100.0
70 歳以上	実数	12	32	28	0	25	97
	構成比（%）	12.4	33	28.9		25.8	100.0
合　　計	実数	49	349	157	4	183	742
	構成比（%）	6.6	47	21.2	0.5	24.7	100.0

面にも、この影響力が作用していたと考えることができよう。

この表、「大いに影響を及ぼす」でみると70代が最高値であるが、これを「時として影響を及ぼす」を加えた肯定的回答でみると、20代(59.4%) 30代 (58.1%) のような若年層の方が高い数値を示している。また「及ぼさない」という否定的回答は、50歳を境にそれ以上がいずれも25%を超えているのに対し、それ以下では30代が18.8%で最多の他40代が14.4%、20代が12.7%となっており、高齢者と比較して、若い層の中に死後霊魂の影響を認める傾向が高いことが確認される。

第四節　死後霊魂を研究する意義

以上みてきたように、現代日本においては死後霊魂の存在が今なお信じられている現実が確認される。最初に述べた、東日本大震災の年の夏、私自身が経験した個人的な体験の中にも、そうした現実に呼応する形で考え、行動してきた私自身がいたのである。しかしこのように言うと、死後霊魂の存在などといった、その存在が確かめようのない非科学的なことに、大学の研究者が関心をもって研究するなどということは、果たして意味があるのだろうか、と疑問をもつ人もいることであろう。

また、かつて私は一年生対象に開講した宗教学の初回の授業が終わった後、一人の学生から、次のように質問されたことがあった。「先生は、本当に死後霊魂の存在を信じているのですか」と。工学部の学生であった彼は、科学的に証明できないことは信じていないので、カミの存在やあの世の存在と同様に、死後霊魂の存在も信じてなどいないのだと言う。ところが大学に入学して期待に胸膨らませて授業を聞いたら、死後霊魂などと胡散臭いことを話題にする授業を聞いてしまったので、先生に確認しなければいけない、というわけで質問に来たというのだ。

そうした疑問･質問に対して誤解を恐れずに答えるならば、死後霊魂が存在するか否かという問題は、＜宗教学者としての私＞にとってはさして大きな関心事ではない、ということである。宗教というのは突き詰めて言うなら価値の問題、信じる価値を認めるか否かの問題であるが、宗教学者の目指すところは、カミやホトケ、先祖や天国あるいは霊魂などといった、宗教を信じる者が価値をおく、そうした不可視の存在が実在することを証明することにはおかれていないからなのである[7]。言葉を換えて言うなら、宗教学的研究のスタートラインは、不可視の存在自体の真偽を問うことではなく、かかる不可視の存在が実在すると信じている人が存在しているという事実（！）、におかれているということなのである。信者が信じている不可視の存在それ自体の実在を研究者が判断することは難しいが、そうした不可視の存在を信ずる人の存在を把握することはそれほど面倒なことではない。信じている人がいるという事実を手掛かりに、宗教学者は、そうした人々によって現実に担われ生きている信仰現象が、その個人あるいは社会においていかなる意味を果たしているかについて考えようとしているのである。このことを死後霊魂の問題に即して言い直すなら、実際に死後の霊魂が存在しているか否かは別にして、死後の霊魂の存在を信じ、一喜一憂して生活している人がいるという事実は把握可能である。とすると、死後霊魂を信じることはその当人にとってどのような意味があるのか、さらにはそうした認識が共有される社会において死後霊魂はどのように意味づけられるのか、……。こうしたことを探ることによって、不可視の存在と関わりをもつ文化の中で生きる日本人とは何かを明らかにすることにも通じていくのである。その意味で宗教学とは、「人間とは何か」という問題を信仰現象を手掛かりに探究していく「人間追究」の学である、と言っても良いであろう。

おわりに

私の学生時代、東北大学の教育組織は学部と教養部に二分されており、入学後の二年間は教養部に所属し、学部の別なく教養をつけるために幅広い領域の勉強をするシステムになっていた。そのために用意されていたのが外国語・体育などの他に人文科目・社会科目・自然科目の三分野の授業各12単位、計36単位を修得することが必修であった。その頃は一科目が通年30回で4単位というユニットであったので、具体的に言えば、どの学部の学生であっても、人文科目・社会科目・自然科目それぞれを、最低3科目履修して単位を修得することが義務づけられていた。こうした教養部の単位を修得しないと留年となり、在学年限の4年が過ぎると教養部から脱出できないままに退学となっていたのである。

教養部での人文科目・社会科目・自然科目の区分は、人文科学・社会科学・自然科学という、ヨーロッパの影響を受けた当時主流であった学問類型に準拠して分けられていた。簡単に言えば、まず対象領域が自然現象であるか否かで自然科学とそれ以外との間に線引きが行われ、人為的な、人によって作られた非自然現象は、群れた人間の営み、即ち社会現象を対象とする社会科学と、個としての人間の営み、即ち人文現象を対象とする人文科学とに便宜的に分けられていた。ちなみに宗教学は、人文科学中の一科目であった。こうしたネーミングで学問の類型化が行われていた背後には、「科学」という普遍性・客観性をもち、再現性があって体系性をもった自然科学が行ってきた方向性こそ学問の王道とみなす価値志向があり、それを非自然現象の分野にも当てはめて成立したのがこの学問類型であったのであろう。

ところが近年、自然科学と対比する際に人文科学・社会科学と表現することは少なくなってきた。特に人文科学は、時には社会科学も併せて「人文学」と呼ぶことが多くなっており、それまで憧憬をもって使ってきた「科学」の語を放棄することがしばしば見られる。特に今世紀になって以降、文系学部廃止の言説が徐々に強まってくる中、この傾向が顕著になってきた印象がある。こうした背後には、人文学は自然科学の原理である科学的方法とは異なった原理で営まれているという自覚的な認識が広まってきたためと思われる。客観的なエビデンスに基づき一つの答えを求めることではなく、矛盾多き世界を整理し、その中から意味を見出していくこと。人文学の要諦は、そこに求められるのではないだろうか。

【参考文献】

・工藤優花「死者たちが通う街－タクシードライバーの幽霊現象」、東北学院大学震災の記録プロジェクト金菱清（ゼミナール）編『呼び覚まされる霊性の震災学　3.11 生と死のはざまで』新曜社、2016 年。
・ジャン・ハロルド・ブルンバン『消えるヒッチハイカー －都市の想像力のアメリカ』新宿書房、1988 年（Jan Harold Brunvand, *The Vanishing Hitchhiker*, 1981）
・鈴木岩弓編『死者と追悼をめぐる意識変化―葬送と墓についての統合的研究―』（科研費研究成果報告書：基盤研究（A）(1)）、東北大学、2005 年
・鈴木岩弓「震災被災地における怪異の場」『口承文芸研究』第 38 号，日本口承文芸学会，pp.28-41、2015 年

【註】

1　機械は人間のように意志や感情を持つことがないため、一定の働きかけに対しては、いかなる場合にも一律な反応をとるものと考えられている。その意味で客観的･合理的な論理の中で作動していると理解されるのだが、その機械が、被災地などにおいて合理的説明ができない異常作動をした場合、その言説が怪異譚となって伝わることがある。東日本大震災後の福島県相馬市で、以下のような話を聞いた。それまで問題なく作動していた新品のカメラが、津波で住民の多くが亡くなった地区に移動した途端に作動しなくなり、そこから他の地区に移動するや問題なく作動するようになったという経験談である。この怪異譚の背後からは、カメラ（＝機械）が作動しない原因をその地が大量死を伴った津波による被災地であることに結びつけ、そこが特別な空間であることを認める思考が生まれていることが推測される。拙稿「震災被災地における怪異の場」『口承文芸研究』第 38 号，日本口承文芸学会，pp.28-41、2015 年参照。

2　＜友だちの友だちの経験＞というのは、都市伝説として一世を風靡した「マクドナルドのニャンバーガー」の話で有名である。友だちの友だちがハンバーガー店でアルバイト中、開けてはいけないと言われた冷蔵庫の中に多くの猫の肉がぶら下がっているを見たという話が拡散し、一時は社会問題にまで展開した。「友だち」と言われればよく知った人であることからいかにも信憑性のある情報に聞こえるが、ここで語られる経験は情報源の特定が難しい「友だちの友だち」のものである。経験者が特定されない場合には、怪異譚を語る際の責任の所在が希薄化し、その結果として社会に広く拡散することとなる。こうした「友だちの友だち」といった常套句は、一見信憑性がありながら、その実あてにならない真偽不明な話題を、話者たちにとっては他愛のない冗談話として消費する場面でしばしば登場する。怪異譚が語られる場面もその一つで、そこに占める＜友だちの友だちの経験＞は、数の上では圧倒的に多い。こうした経験のよって立つ怪異譚からは、その経験に潜む深刻な恐怖心や思わず発する叫びなどといったものは薄まり、時には「怪異」を楽しむ娯楽となって消費されつつ語られることになる。

3　東日本大震災後、特に福島県相馬市において聞かれだした怪異譚については、註1でもあげた拙稿「震災被災地における怪異の場」『口承文芸研究』第38号、日本口承文芸学会、pp.28-41、2015年参照。

4　中国では魂魄の語、エジプトではミイラを作る行為の背後にこの考え方がある。

5　死後霊魂の存在に関する筆者の調査結果は、以下の科研費による研究報告書に収録されている。鈴木岩弓編『死者と追悼をめぐる意識変化－葬送と墓についての統合的研究－』(科研費研究成果報告書:基盤研究 (A)(1))、東北大学、2005年。

6　この調査から得られたデータは、共同研究者の森謙二がまとめている。森謙二「死者と追悼をめぐる意識調査」鈴木岩弓編『死者と追悼をめぐる意識変化―葬送と墓についての統合的研究―』(科研費研究成果報告書:基盤研究 (A)(1))、東北大学、2005年。本稿ではこのデータを用いている。

7　時には広義の「宗教学」の下位領域として包含されることもある「神学」は、自分の宗教のあるべき姿を考え、教えの改善を目指す立場であることから、護教学とも言われる。これに対し狭義の「宗教学」は宗教の教えそのものの正誤を探究するのではなく、いかにあるかという現実把握の学なのである。

あとがき
私たちはどこから来て、どこへ行くのか？

座小田　豊

2019年8月5日の恒例仙台花火大会は、久し振りの好天に恵まれ、美しくも壮大な火炎が夜空を埋め尽くす様をつぶさに眺めることができた。描き出される様々な、そして色とりどりの火炎の模様は、一瞬の輝きと音響と共に咲いては散り、咲いては散りを繰り返し、束の間の賑わいと贅の時を楽しませてくれた。他方我が家では、庭先で線香花火を灯し、パチパチと幽かな音に耳を傾けながら、小さな小さな火花の変化に見入り、しばし時の儚さに思いを巡らせたりしたものである。

どちらも花火である。しかし、その違いは言うまでもない。どちらがどうかと優劣をつけたいわけではないが、そこはかとなくかげろう光という点では、私は線香花火に軍配を挙げたいと思う。私はそこにかそけき人の生命（いのち）の営みを重ねて想いみるからである。どのような生命であれ、すべてみな掛けがえなく貴重であり、そして愛おしい――夜空に打ち上げられる大玉の花火ではない、飛び散る火花の変化を目の当たりにできる線香花火だからこそ、そうした想いへと私たちを導くように思われる。すべての人に通底する生命の火花、それはどれほど小さな営みであっても、それぞれに美しく、そして儚い。慈しみ、みまもられなければならない所以である。

「人文学の要諦」と題した本書には、文と理双方の多分野からの論攷が収められている。特に理系の先生方の中には、なかなか焦点を定めるのが難しく、執筆に難渋したと仰る方もおられた。目次をご覧いただければお分かりのように、第一部では、理系の先生方に自由なテーマを設定して人文知との関わりについて論じていただき、第二部では各自のご専門の立場から「人文知」の要諦、即ち主要なポイントについて考察していただいた。もちろん、文系だからと言って事が容易になると言えるようなテーマでないことは当然である。敢えてこのようなテーマにしたについては、ここしばらく喧しく口にされてきた大学における「人文社会系」不要論に対する憤りの感情が背景にある。この論が依拠したのが「役に立つか」という論点であったことは周知のとおりである。社会的な有用性という基準が主張され、しかも、それが、大学は就職時に企業の側から見て「有用な人材を輩出できるか否か」という極めて乱暴な観点からの決めつけであったことも指摘しておかなくてはならない。

そもそも「役に立つか立たないか」の基準は、きわめて多義的にして曖昧であり、かつ暴力的ですらある。時と場面、そしてものの観方次第でまったく反対の評価が成り立つこともありうるにもかかわらず、一方的・一面的に決めつける方向に働くからである。たとえば、謹厳実直な人物にしても、その逆と思しき「フーテンの寅さん」のようなハチャメチャな人物にしても、一概に「役に立つ、いや立たない」とは言い難いし、肉親にしてみれば、寝たきりの老親にそうした基準を当てはめることを固く拒絶することであろう。直截的な言い方をするなら、要は、その人物の生きている（生きてきた）人間性にあると言うべきではあるまいか。いわゆる点数などで数量化できない、人間としての存在の巾と魅力と言ってもいい。記憶として蓄積されている知識の量だけのことではない。そんなことなら、誰であれ小さなパソコンにさえ敵わないだろう。そのパソコンを指して「ヒトとして云々」などと誰も言うはずがない。何をもって「ヒト」というのか、といえば、全体としての「生命」の持ち主のことだと、ひと先ずは言っておこう。無論、「ヒト person」である限りにおいて、彼（彼女）は様々な時と場面で、その都度にそのヒトに適した役割を演じることになる。あたかも名優が「生命を弄ぶ」極悪人にも「生命を産み出す」恋する天使にさえも成りきることができるようにとは言えないまでも、せめて凡優として、様々な、あるいは善良な一職業人や通行人として「生きている」振りをするくらいのことならば。当然のことに、その役の演じ方に決まりのあろうはずもない。役者の立ち位置が、他者にとっても自分自身にとっても「仮面 person」であることの自覚に依ることに鑑みるなら、そうした場面においては、「役に立つ」という有用性の基準はもはや二次的な意味しか持ちえないと見るべきであろう。

謹厳実直氏も、職場や公共の場での身の処し方と、家庭でのそれとは自ずから異なるであろうし、寅さん同様に、時に激高し、また時に上機嫌で哄笑することもあるだろう。ヒトとは一枚のお面とは違って、「生きていること」の厚みと巾を持ち、喜怒哀楽の感情を露わにする生身の人間のことであろう。そうであればなおさらに、ヒトに一律の基準を適用しようなどというのは片腹痛い料簡と言うべきではあるまいか。いやそうに違いない。たしかに、ヒトとは、ある意味未知の可能性の余地を残した生命の持ち主のことだからである。もちろん、その可能性は不可能性でもありうるというのが、そしてこの両者が置き換え可能だというのも、これまたヒトの可能性の不思議な自然でもありうる。乳児が幼児に、幼児が子供に、子供が少年・少女に、そして青年に、さらに大人に成長を遂げて可能性を現実化していきつつも、その他方で彼らは多くの可能性を失っていく。そして終には、可能性を喪失して人生を閉じる……！しかし、「生命」は自分だけのものではない。そばにいる、周りにいる人、いやすべての人にとっての「生命」である。だからこそ、様々な光芒を放ちつつも、その輝きの違いに個性が現れてくるのであろう。大空に大輪の光を描くものもあれば、道端で密やかに光を放つものもある。しかも、一瞬一瞬に異なる輝きを見せながら。周りの者たちは、そこにかけがえのない生命の証を受け止めるのである。

ヒトの一生は、たしかにみじかく儚い。しかし、無限に多様で豊かな色彩によって彩られているのも事実である。一人びとりのヒトが、それぞれに固有で多彩な人生を過ごし、高低・深浅の起伏に富んだ様々な道を歩み、足跡を残していく。なぜなら、個々人の一日一日は、どれも同じように見えていながら、やはりどこか必ず違っているからである。言うまでもなく、ヒトは肉体的にも精神的にも一瞬一瞬変貌をとげていく。ある時は成長し、またある時は後退していくこともあるだろう。先ほどの言い方を使うならば、可能性を切り開き、あるいは可能性を失っていく。しかもそれが、ヒトそれぞれに多様であることは明白であってみれば、どのようにしても一様に括りようのあるはずもない。加えて、ヒトの足跡にはどこかに常に余白が漂っている。あるいはむしろヒトの一生とは、埋めようのない余白の総体とでも言うべきなのかもしれない。このような、一人のヒトの可能性・不可能性や余白に眼を向けるならば、「役に立つ、立たない」はもちろん、文系と理系の区別もまた単なる符丁にすぎないものとなるであろう。

一例を挙げよう。フィンセント・ファン・ゴッホである。彼は、自らの行く末に煩悶していた時期に、父母からも、親せきからも、そして周囲からも疎まれ、自らは疎外された意識に苛まれるなかで、次のような言葉を記している。「僕は自分の不誠実において誠実であろうとする人間なのだ。いかに変わろうと、僕は同じ人間だ。ぼくの苦悶といえば、つまりはこういうこと——いったい僕は何の役に立ちうるのか、僕はいわば役に立つ、有用な人間たりえないのか、どうしたらしかじかの問題をもっと長い間深めていくことができるのか。…こいつが絶えず僕を苦しめているのだ。」(書簡 133)[1]「僕は何の役に立つのか」、この問いはファン・ゴッホが生涯負い続けた問いであり、この問いとの葛藤のさなかにおいてこそ、あの画家ゴッホが誕生したと言っても過言ではなさそうである。汚泥のなかに美を認め、土にまみれた農民に密着せんとしたゴッホの描く作品は、当初ほとんど見向きもされず、それこそ何の役にも立たない駄作と見なされていたようだが、アムステルダムのゴッホ美術館には、今や年間数百万人もの人が訪れ、入場を待つ人々の長蛇の列ができている。そこに展示されている作品はどれも、誠実であろうとする己の不誠実さに煩悶しながらも、自分の描く絵が「一体何の役に立つのか」という、この問いに誘発されて描き出されたものであったろう。「何の役に立つのか」、これは確かに厄介な問いである。ただし、ゴッホの苦渋に満ちみちた生涯を想うとき、自問するその問いによって向かうべき方向は、自分自身で見出すほかはないものなのであって、外的に押し付けられた有用性など、創造性とはまったく無関係であったのだと言わなくてはならないように思われる[2]。

* * *

人文学は、こうしたヒトの、いまだそこに存在していない豊かな可能性をまさしく創出し掘り起こそうとする営みである。いわゆる「human sciences : scientia humana」は、ヒトが自らの可能性を拓くための生きる力を涵養することに主眼を置くものだからである。自分が何をなしうるのか、またなし能うのかを、自分自ら見定める力を創り出し磨き上げるということである。それは、何よりも「普遍的な」知をベースにするものでなくてはならない。というのも、自らが「人間であること」の、その本質の理解をめざすべく、基本的な知の習得が先ずは前提とされるからである。その基本的な課題を担うのがあの「リベラル・アーツ」（自由学芸7科、いわゆる教養教育）であった。人間として生きるベースとなる普遍的な知を習得することは、すなわち個としての自らの自立性を確認する作業であると考えられたのである。その上で、さらに人文知は、件の「何の役に立つのか」を、それぞれが自己決定できる判断力を涵養するために求められるものである。外的な押し付けや取り決めという、あるいは社会的な有用性といった基準ではなく、自己の評価軸を自らの意志と意欲に促されて構築する力能だ、と言えば良かろうか。無論それをこの手にするのは簡単なことではない。むしろ容易ならざる業と言うべきかもしれない。というのも、その力能そのものを自ら創出するという、言ってみれば、「無からの創造」ともみなされる力業を必要とするからである。ここにこそ、個としての私たちの独自性が発揮されることになろう。この課題のことを、あのドイツ啓蒙主義者たちが、「教養形成 Bildung」と名づけていたことは良く知られているが、これを「自己陶冶」と呼ぶのは、なるほどその語意の通りである。

個としての独自性を保持し、さらになお、それを掘り起こしつつ、普遍的な課題の実現、例えば、来るべき将来の社会の実現を目指すという、この両側面の総合という目途を掲げるところに人文学の課題は想定される。途方もないと言えばその通りの、過大なこの目標設定によってこそ、個としての可能性と独自性は却って拓かれるであろう。こう言ってよければ、「自分のために」ではなく、「他者のために生きる」という普遍的な意志によってこそ、「生かされてある」自分の生命の意味が始めて自覚できるものになってくるように思う。その他者には、現在を共有している多様な人々はもちろん、すでに亡くなった人々、将来生まれてくる人々、そしてさらに大いなる「自然」そのものや、そのなかに私たちと共存する様々な生き物たちも含まれるだろう。彼ら（それら）の生命にいかに応えられるのか、人文知を涵養する人間力が問われる由縁である。それは、ヒトにとってのあの普遍的な問い、「私たちはどこから来て、どこへ行くのか」という「生きること」の意味への問いを尋ねる営みにほかならない。「何のために生きるのか」という問いの海に漂いながら、ヒトの内なる生命の燃素に火を灯し続ける限り、いずれにせよ目指すべき「知の焔」が私たちを導き差し招くことであろう。その知が「人文知 scientia humana」である理由は、すでにして明らかであろう。

【註】

1　『ファン・ゴッホの手紙』（二見史郎編訳・圀府寺司訳、みすず書房、2001 年）、45 頁。

2　ここでのゴッホに関する論述については、A. J. ルービン著『ゴッホ――この世の旅人』(高儀進訳、講談社学術文庫、2005 年) に負っている。

［付記］本書は、東北大学高度教養教育・学生支援機構の 2019 年度「研究成果出版経費」の助成を受けて出版されたものである。記して関係各位への感謝の微意を表させていただきたい。

執筆者略歴

滝澤　博胤（たきざわ　ひろつぐ）

1962年新潟県生まれ。1990年東北大学大学院工学研究科応用化学専攻博士後期課程修了（工学博士）。

専門は無機材料科学、固体化学。1990年東北大学工学部助手。テキサス大学オースティン校客員研究員、東北大学工学部助教授を経て2004年東北大学大学院工学研究科教授。

2015年工学研究科長・工学部長。2018年より東北大学理事・副学長（教育・学生支援担当）、高度教養教育・学生支援機構長。

主な著作に「マイクロ波化学～反応、プロセスと工学応用」（共著、三共出版、2013年）、「演習無機化学」（共著、東京化学同人、2005年）、「固体材料の科学」（共訳、東京化学同人、2015年）。

野家　啓一（のえ　けいいち）

1949年宮城県生まれ。1971年東北大学理学部卒業、1976年東京大学理学系大学院科学史・科学基礎論博士課程中退。専門は哲学・科学基礎論。南山大学専任講師、プリンストン大学客員研究員、東北大学教授、理事・附属図書館長、高度教養教育・学生支援機構教養教育院総長特命教授を経て、現在東北大学名誉教授、河合文化教育研究所主任研究員。

主な著作に『物語の哲学』（単著、岩波現代文庫、2005年）、『パラダイムとは何か』（単著、講談社学術文庫、2008年）、『科学哲学への招待』（単著、ちくま学芸文庫、2015年）、『歴史を哲学する』（単著、岩波現代文庫、2016年）、『はざまの哲学』（単著、青土社、2018年）ほか。

沢田　康次（さわだ　やすじ）

［学歴］1960　東京大学工学部応用物理学科卒業、1962　東京大学大学院工学研究科電子工学専攻卒業、1966　ペンシルバニア大学物理学科博士課程修了 Ph.D。

［職歴］1966-1968　ペンシルバニア大学 Research Associate、1968-1972　大阪大学理学部講師、1973-2001　東北大学電気通信研究所教授、1996-2001　東北大学電気通信研究所長、2001-2007　東北工業大学教授、2008-2013　東北工業大学学長、2012-2016　復興大学（文部省）代表、2014-　東北大学国際高等研究教育院シニアメンター

［受賞］学術功労勲章（フランス国政府） 1999年受賞、大川出版賞 1994年受賞、瑞宝中授賞（2013）、仙台市功労賞（2013）
［著書］「ゆらぎ、カオス、フラクタル」武者利光、沢田康次（日本評論社,1991年）、「非平衡系の秩序と乱れ」沢田康次（朝倉書店、1993年）、「Physics of The Living State」T. Musha and Y. Sawada（Ohmusha, IOS Press, 1994）、「自己組織の科学」沢田康次（北森俊行、北村新三編、オーム社、1996）第1章、「複雑系のバイオフィジックス」沢田康次（共立出版、2001.6）第2章「リズム現象の世界（非線形・非平衡現象の数理Ⅰ）」（東京大学出版会、2005.10）第3章、ほか。

宮岡　礼子（みやおか　れいこ）

1951年東京生まれ．1976年東京工業大学大学院理学研究科博士課程中退、同年東京工業大学助手。1978-79年西独Bonn大学特別研究員、1983年 理学博士（東京工業大学）、1983年英国Warwick大学客員研究員。東京工業大学助教授を経て、上智大学理工学部教授、九州大学大学院数理学研究院教授、東北大学大学院理学研究科教授。2016年定年退職、東北大学名誉教授、同総長特命教授。

専門研究分野：微分幾何学。受賞：日本数学会幾何学賞（2001）。

主要著書：曲線と曲面の現代幾何学（岩波書店、2019）、曲がった空間の幾何学（講談社 ブルーバックス、2017）、現代幾何学への招待（サイエンス社、2016）ほか。

山口　隆美（やまぐち　たかみ）

1948年福島県会津若松市生まれ。1973年東北大学医学部卒業。約5年間臨床医（一般外科および心臓外科）の後、東京女子医科大学で心臓・血管系の流体力学研究に約6年間従事し、東京大学から工博、東京女子医科大学から医博の学位を取得。1981年～1983年インペリアルコレッジ航空工学科に留学。帰国後国立循環器病センター研究所、東海大学開発工学部、名古屋工業大学を経て、東北大学医工学研究科教授。2015年同教養教育院総長特命教授となり、2019年退職。主要な著作：Integrated Nano-Biomechanics（Elsevier, 2018）、ほか。

吉野　博（よしの　ひろし）

1948年東京都生まれ。1973年東京大学大学院工学研究科修了。1974年東京

大学助手、1978年東北大学助教授、1992年東北大学教授、2008年東北大学ディスティングイッシュト・プロフェッサー、2011年学術会議会員、2012年東北大学 定年退職、2014年東北大学総長特命教授、現在、東北大学名誉教授。専門は建築環境工学。

主な著作に『シックハウス症候群を防ぐには』(共著、東北大学出版会、2011年)、『住宅における熱・空気環境の研究－快適・健康な省エネ住宅の実現を目指して－』(編著、東北大学出版会、2012年)ほか。

座小田　豊(ざこた　ゆたか)

1949年福岡県生まれ。1978年東北大学大学院文学研究科博士課程単位修得退学。専門：哲学、西洋近代哲学。

弘前大学教養部助教授、東北大学大学院国際文化研究科助教授、東北大学文学部助教授、東北大学大学院文学研究科教授を経て、現在東北大学総長特命教授(2020年3月末まで)・東北大学名誉教授。主な著書：(2000年以降)(共編著)『ヘーゲル　知の教科書』(講談社メチエ、2004年)、『今を生きる　東日本大震災から明日へ、Ⅰ人間として』(東北大学出版会、2012年)、『ヘーゲル『精神現象学入門』』(講談社学術文庫、2012年)、『防災と復興の知　3・11以後を生きる』(大学出版部協会、2014年)、『生の倫理と世界の論理』(東北大学出版会、2015年)、『自然観の変遷と人間の運命』(東北大学出版会、2015年)共訳書: H・ブルーメンベルク『コペルニクス的宇宙の生成』3巻(法政大学出版局、2002年・2008年・2011年)、『ヘーゲルハンドブック』(知泉書館、2016年)ほか。

高木　泉(たかぎ　いずみ)

1950年三重県尾鷲市生まれ。1973年東北大学理学部数学科卒業、1976年東北大学大学院理学研究科博士課程前期2年の課程修了(理学修士)。1977年東京都立航空工業高等専門学校講師。1982年より東北大学理学部助手、講師、助教授を経て1995年大学院理学研究科教授、2016年より同教養教育院総長特命教授。中国人民大学数学科学研究院教授。1983-84年ニューヨーク大学クーラン研究所客員研究員。1985年理学博士(東北大学)。専門は数理生物学に現れる非線型偏微分方程式の数学解析。

鈴木　岩弓(すずき　いわゆみ)

1951年東京都生まれ。1982年東北大学大学院文学研究科博士課程満期退

学。同年島根大学教育学部助手。同講師、助教授を経て 1993 年東北大学文学部助教授に転任。同教授、同大学院教授を経て、2017 年定年退職後に東北大学名誉教授。同年より東北大学総長特命教授となり現在に至る。専門は宗教民俗学・死生学。主な著作として『いま、この日本の家族－絆のゆくえ－』（共著：弘文堂、2010 年）『変容する死の文化－現代東アジアの葬送と墓制－』（編著：東京大学出版会，2014 年）『柳田國男と東北大学』（編著：東北大学出版会，2018 年）『現代日本の葬送と墓制　イエ亡き時代の死者のゆくえ』（編著：吉川弘文館，2018 年）ほか。

装幀：大串幸子

東北大学教養教育院叢書「大学と教養」

第３巻　人文学の要諦

Artes Liberales et Universitas
3 The Essence of Humanities

2020 年 3 月 31 日　初版第 1 刷発行

編　者　東北大学教養教育院
発行者　関内 隆
発行所　東北大学出版会
〒 980-8577　仙台市青葉区片平 2-1-1
Tel. 022-214-2777　Fax. 022-214-2778
https://www.tups.jp　E.mail info@tups.jp
印　刷　カガワ印刷株式会社
〒 980-0821　仙台市青葉区春日町 1-11
Tel. 022-262-5551

ISBN978-4-86163-344-7　C0000
定価はカバーに表示してあります。
乱丁、落丁はおとりかえします。